भारतीय पुष्प

भारतीय पुष्प

नेत्रपाल सिंह
दया शंकर पाण्डेय

प्रकाशन विभाग
सूचना और प्रसारण मंत्रालय
भारत सरकार

प्रथम संस्करण : 2010 (शक 1931)
प्रथम पुनर्मुद्रण : 2021 (शक 1943)

मूल्य : ₹ 260.00

PD BN ISBN: 978-93-5409-314-2
S&T-HIN-REP-145-2021-22

महानिदेशक, प्रकाशन विभाग, सूचना और प्रसारण मंत्रालय, भारत सरकार, सूचना भवन, सी.जी.ओ. कॉम्प्लेक्स, लोधी रोड, नई दिल्ली-110 003 द्वारा प्रकाशित

वेबसाइट: www.publicationsdivision.nic.in

संपादन: कमला / ऋतुश्री
आवरण: आर.के. टंडन

विक्रय केंद्र: प्रकाशन विभाग: सूचना भवन, सी.जी.ओ. कॉम्प्लेक्स, लोधी रोड, **नई दिल्ली-110 003;** 701, सी-विंग, 7 वीं मंजिल, केंद्रीय सदन, बेलापुर, **नवी मुंबई-400 614;** 8, एस्प्लेनेड ईस्ट, **कोलकाता-700 069;** 'ए' विंग, राजाजी भवन, बेसेंट नगर, **चेन्नई-600 090;** प्रेस रोड, निकट गवर्नमेंट प्रेस, **तिरुअनंतपुरम-695 001;** कमरा नं. 204, द्वितीय तल, सीजीओ टॉवर, कवाडीगुडा, **हैदराबाद-500 080;** प्रथम तल, 'एफ' विंग, केंद्रीय सदन, कोरामंगला, **बंगलुरु-560 034;** बिहार राज्य सहकारी बैंक बिल्डिंग, अशोक राजपथ, **पटना-800 004;** हॉल नं. 1, द्वितीय तल, केंद्रीय भवन, सेक्टर-एच, अलीगंज, **लखनऊ-226 024**

टाइप सेटिंग : नौटियाल कम्प्यूटर्स, जी-11, अरुणा पार्क, शक्करपुर, दिल्ली - 110092
मुद्रक: एक्सेल प्रिंटर्स प्रा. लि., नई दिल्ली-110028.

आमुख

भारत की प्राकृतिक वन संपदा बहुत ही मूल्यवान है। इनमें से बहुत से पौधे मानव–आवास के आसपास पाए जाते हैं। इसमें विविध आकार, बनावट, रंग वाले पुष्पीय पौधे भी सन्निहित हैं। अधिकांश लोगों को इन पौधों का सही नाम, गुण, उपयोगिता के साथ–साथ बागवानी संबंधित ज्ञान नहीं होता है।

निदेशक, प्रकाशन विभाग, सूचना व प्रसारण मंत्रालय, नई दिल्ली के आग्रह पर *कॉमन फ्लावर्स ऑफ इंडिया,* भारतीय वनस्पति सर्वेक्षण के वैज्ञानिक डा. दयाशंकर पाण्डेय व डा. नेत्रपाल सिंह द्वारा अंग्रेजी में लिखित पुस्तक सन 2005 में प्रकाशित हुई थी। तदनन्तर पाठकों की रुचि, सुझाव तथा आवश्यकतानुसार इसका हिंदी में प्रकाशन *भारतीय पुष्प* शीर्षक से किया जा रहा है।

पुस्तक में कुल 151 जातियों के सामान्य पुष्पीय पौधों का वर्णन किया गया है, जिनकी बागवानी अथवा खेती की जाती है। पौधों का वर्णन 52 शीर्षकों में हिंदी नाम, अंग्रेजी नाम, कुल, वैज्ञानिक नामों की शब्दव्युत्पत्ति, मूल स्थान, स्वभाव, संक्षिप्त बाह्य रचना, फलने–फूलने का समय, प्रसारण–विधि, बागवानी–पद्धति, संक्षिप्त अलंकृत गुणों के साथ–साथ औषधीय व आर्थिक उपयोगिताओं के अनुसार किया गया है। पहचान हेतु छायाचित्र भी दिए गए हैं।

हमें पूर्ण विश्वास है कि इस पुस्तक से पुष्प प्रेमियों, बच्चों विशेषकर किशोरों को अपने आसपास के पौधों के विषय में ज्ञानवर्धन तो होगा ही, वे बाह्य वातावरण, प्रकृति से प्रेरित होकर सौंदर्य–बोध के प्रति भी जागरूक होंगे। बागवानी प्रेमियों के लिए भी यह पुस्तक सहायक सिद्ध होगी।

इस पुस्तक में सहयोग के लिए हम भारतीय वनस्पति सर्वेक्षण के डा. हर्ष जी. चौधरी, अतिरिक्त निदेशक; डा. सुबीर बंद्योपाध्याय; वरिष्ठ वैज्ञानिक सहायक, सुभाष चंद्र घोष व अमर मंडल; वरिष्ठ छायाकार; नंद लाल तिवारी के विशेष आभारी हैं। श्रीमती आशा सिंह, विद्यावती पांडेय एवं नागेश्वर दुबे को लेखन में योगदान के लिए सहृदय धन्यवाद।

डा. नेत्रपाल सिंह
डा. दया शंकर पाण्डेय

प्रस्तावना

जैव विविधता विषयक अंतर्राष्ट्रीय समझौता रियो-डि-जेनेरो में 1992 में हुआ। इसमें विश्व के 171 देशों के बीच समझौता हुआ। संपूर्ण जैव विविधता का आकलन, संरक्षण, संसाधनों का समुचित उपयोग, लाभों का समान एवं समुचित वितरण इस समझौते का प्रमुख उद्देश्य है। जैव विविधता के प्रत्येक बिंदु के अध्ययन, जनसाधारण विशेषकर बच्चों को आसपास के पुष्पीय पौधों के विषय में शिक्षित व सचेतन करने में प्रचलित भाषाओं की पुस्तकों का बड़ा ही योगदान है।

भारत विश्व के 12 'विशाल जैव विविधता' वाले क्षेत्रों में से एक है तथा विश्व के 25 'अतप्त स्थलों' में से दो क्रमशः पश्चिमी घाट व पूर्वी हिमालय भारत में हैं। इसके अतिरिक्त अंडमान द्वीप समूह की प्राकृतिक वनस्पतियां बड़ी ही अनूठी हैं। भारत में अनुमानित 48,000 पौध-जातियों के अंतर्गत लगभग 17,500 आवृत्तबीजी जाति के हैं। पौध-संरक्षण उपायों में यथास्थान संरक्षण में जीवमंडल (14); राष्ट्रीय उपवन (89); वन्यजीव अभयारण्य (489); के अतिरिक्त कई नम भूमि, वायुशिफ, समुद्री प्रवाल और जीवमंडल आरक्षित क्षेत्र हैं। हमारे देश में जैव विविधता के संरक्षण में वनस्पति एवं प्रायोगिक वनस्पति उद्यानों का महत्व एवं भूमिका सर्वविदित है, जिनकी अनुमानित संख्या 150 है। भारतीय वनस्पति सर्वेक्षण के अधीनस्थ दस प्रायोगिक वनस्पति उद्यानों का पौधों के संरक्षण के क्षेत्र में एक विशिष्ट स्थान है।

भारत में पुष्पीय पौधों की लगभग 4,900 जातियां स्थानीय अथवा सीमित क्षेत्रीय हैं, जो अन्यत्र नहीं पाई जातीं। इनमें से लगभग 1,500 जातियों के पौधे दुर्लभ एवं विभिन्न स्तर के संकट की स्थिति में हैं। इनका वर्णन भारतीय वनस्पति सर्वेक्षण द्वारा प्रकाशित *रेड डाटा बुक* में किया गया है।

एक अलंकृत पूर्ण पुष्प में चार चक्र होते हैं। बाहरी चक्र को वाह्य दलपुंज (प्रत्येक भाग को बाह्य दल अथवा पंखुड़ी) कहते हैं; भीतरी चक्र को दलपुंज (प्रत्येक अवयव को दल अथवा पंखुड़ी कहते हैं); पुमंग-नर प्रजनन अंग (प्रत्येक को पुंकेसर) तथा जायांग— मादा प्रजनन अंग कहते हैं। पंखुड़ियों का आकार, प्रकार तथा रंग सफेद से लेकर कई रंग का, आकर्षक व भड़कीला होने के कारण मनुष्य तथा कीट-पतंगों को अपनी ओर आकर्षित करके निषेचन तथा बीज उत्पत्ति में सहायक होता है।

पुष्प हमेशा से मनुष्य जीवन से संबंधित रहे हैं। जिसके महत्व को हमारे पूर्वज भी भली-भांति समझते थे, जिनका प्रकृति तथा पौधों के साथ बड़ा ही निकट का संबंध रहा है।

वृक्षों में बरगद, बेल, चंपा, कदम, गुड़हल, आम, अपराजिता, धतूरा, मदार, कमल, पवित्र बर्ना, सेमल, इत्यादि, गावों के आसपास, पूजा स्थलों के प्रांगण में तथा छाया के लिए लगाए जाते हैं। इनके पुष्प तथा फल देवी-देवताओं की पूजा-अर्चना आदि के काम आते हैं। कई प्रकार के पौधे व पुष्प किसी विशेष देवता से संबंध रखते हैं। पलाश का पुष्प बुद्ध के लिए पवित्र; लाल सेमल शिव के लिए पवित्र; सफेद कचनार लक्ष्मी के लिए पवित्र; नीलकमल-विष्णु का प्रतिरूप; उद्यान अमरनक्ष-काली के लिए पवित्र; अमलतास का पीत फूल-व्यापार व सौभाग्यवर्धक और अशोक का पुष्प—प्रेम के देवता कामदेव से संबंधित है। पुष्प सौंदर्य, पूजा-अर्चना, सामाजिक उत्सवों में प्रयुक्त होने के साथ-साथ आर्थिक महत्व भी रखते हैं। पौधों के फूल, फल तथा अन्य भाग के विक्रय के साथ ही इनका प्रयोग माला, हाथ का चूड़ा, कंगन, गुलदस्ता, घर सजाने, इत्यादि में किया जाता है। फूलों से सुगंधित तेल एवं औषधियां भी प्राप्त होती हैं। पुष्प प्रेम सार्वजनीन एवं सभी संप्रदायों द्वारा स्वीकृत है। चीन की एक कहावत के अनुसार 'प्रत्येक व्यक्ति के स्वभाव, आचार, व्यवहार एवं रीतियों में अंतर हो सकता है लेकिन पुष्प-प्रेम सभी में एकरूपता लिए होता है।'

सुंदर, अलौकिक गुणों तथा निर्दिष्ट क्षेत्र में बहुलता से उपलब्ध होने के कारण पुष्पों को राष्ट्रीय एवं राज्य सरकार का पुष्प या पौधा होने का गौरव प्राप्त है। जैसे कमल भारत का राष्ट्रीय पुष्प है। इसके अतिरिक्त इटली व कनाडा का राष्ट्रीय पुष्प सफेद लिलि; इरान तथा यूनाइटेड किंगडम का राष्ट्रीय पुष्प गुलाब; जापान का गुलदाउदी; फ्रांस का लिलि; बांग्लादेश का वाटर लिलि; लेबनान का सीडर वृक्ष; संयुक्त राष्ट्र अमेरिका का गोल्डन रॉड का पुष्प राष्ट्रीय चिह्न/प्रतीक हैं।

भारत में सभी प्रकार की मृदा एवं जलवायु होने के कारण यहां की वन संपदा अत्यधिक मूल्यवान है। अनेक प्रकार के शोभनीय पौधे जंगल में होने के साथ-साथ गांवों, मंदिरों और शहरों में सघन वृक्षारोपण हेतु लगाए जाते हैं। कुछ पौधे विशेष भौगोलिक क्षेत्रों, जलवायु में होने के कारण एक संकुचित तथा निश्चित स्थान पर पाए जाते हैं। सभी लोगों तथा विशेषकर बच्चों (किशोरावस्था) को सामान्य पुष्पों का विशेष ज्ञान नहीं होता। ऐसे वृक्ष तथा पौधों को जिनके पुष्प सुंदर, आकर्षक, रमणीय व नयनाभिराम होने के साथ विशेष उपयोगी भी होते हैं, जनमानस में अत्यधिक प्रचलन की आवश्यकता है। इनके नाम कुल, गुण, फूलने-फलने का समय, कृषि-विधि, इत्यादि विषय का विशेष ज्ञान होने से पर्यावरण के प्रति चेतना व जागरूकता पैदा होती है।

प्रस्तुत पुस्तक का उद्देश्य उपरोक्त बिंदुओं व पहलुओं पर प्रकाश डालना है। कुल 151 जाति व प्रभेद, 49 वंश तथा 32 वनस्पतिक कुल के अंतर्गत सभी स्वभाव वाले पौधों, वृक्षों, झाड़ियों, लताओं, मौसमी फूलों, कंदीय पौधों एवं दो जाति के जलीय पौधों तथा साथ में इस वर्ग के अन्य सामान्य पुष्पीय पौधों का वर्णन पुस्तक में है। इनमें 44 भारतीय एवं शेष विदेशी मूल के पौधे हैं। सुंदरता के अतिरिक्त अन्य गुण वाले पुष्पीय पौधों को निम्नलिखित शीर्षकों में उद्धृत किया गया है:

धार्मिक दृष्टिकोण वाले पौधे व पुष्प : अशोक, अपराजिता, कचनार, चंपा, गंधराज, चमेली, धतूरा, नागकेशर, कमल, डाडप, जावा (गुड़हल), पवित्र बर्ना, गुलंच चंपा, पीला सेमल, कनेर, इत्यादि।

औषधीय पौधे : आलामंडा, अपराजिता, अशोक, जैसमिन, कमल, अफीम, सदाबहार, कचनार, पवित्र बर्ना, कनवल, इत्यादि।

सुगंधित तेल : चमेली, चंपा, जैसमिन, हरा चंपा, पारिजात, इत्यादि।

आर्थिक महत्व के पौधे : रेशा–गलगल, डाडप; गोंद–गलगल; चपड़ा–चंपक, गुलाबजल–एडवर्ड तथा डमस्क गुलाब; लाख–पलास; तेल–सूरजमुखी; रंग– गुड़हल, अपराजिता, पारिजात; हार/माला–एस्टर, गुलदाउदी, गेंदा, जैसमिन, रजनीगंधा; गुलदस्ता हेतु–एस्टर, डहेलिया, आंटीराहिनुम, ग्लोडिओली, इत्यादि।

सड़क के किनारे एवं सघन वृक्षारोपण : गुलमोहर, अमलतास, जारूल, बोतल ब्रुश, डाडप, पीली गुलमोहर, पीला कनेर, कनेर, इत्यादि।

अलंकृत झाड़ियों की पट्टी : बार्लेरिया, क्रोसान्ड्रा, गुड़हल, गंधराज, कनेर, पीली कनेर, इत्यादि

बरामदा तथा दलदलीय भूमि : सुदर्शन

जलीय पौधे : कमल, कुमुदनी, कनवल (वाटर लिलि), इत्यादि।

जंगल में शोभनीय पौधों के साथ–साथ आर्थिक महत्व के कुछ विशेष प्रकार के पौधे भी पाए जाते हैं एवं उनकी भी खेती की जाती है जैसे :

आरजिरिआ कुनिआटा, आराजिरिआ हिर्सुटा– नीलगिरी पर्वत में; स्नेकहुड प्लांट (अरीसिमा लेश्चेनाउल्टीई)–दक्षिण भारत की पर्वतमालाओं में; अरीसिमा टोर्टसुओसुम–हिमालयी क्षेत्र में; कमेलिया की जातियां, हेराल्डस ट्रम्पेट (बीआउमोन्टिआ ग्रांडीफ्लोरा), क्लेरोडेन्ड्रम फ्लोमिडिस, क्लेरोडेन्ड्रम सिर्रेटुम, क्लेरोडेन्ड्रम स्क्वेमोटुम—हिमालय क्षेत्र में; हाथी सेव (डिलेनिया इंडिका), एलीफेंट एपल (क्राइनम लाटिफोलिअम), क्राकुस की जातियां, ग्लिर्सिर्डिआ सेपिउम, मालाबार की ग्लोरी लिलि (ग्लोरियोसा सुपर्वा), कामन गिंगर लिलि या बटरफ्लाई लिलि/तितली लिलि (हेडीकियम कोरोनारियुम), हेडीकियम कॉक्सीनेउम—उत्तर–पूर्व क्षेत्र में; येलो गिंगर लिलि (हेडीकियम फ्लेवुम), हेडीकियम गार्डेनेरिआनुम, हेडीकियम साब्रुम—उत्तर–पूर्व हिमालय क्षेत्र में; माधवी लता (हीप्टेज बंगालेन्सिस), ईस्टर वृक्ष (होलार्रेना एंटीडिसेंटेरिका), होलार्रेना पुबेसेन्स, कॉमन बाक्स का पौधा (होया कार्नोसा व होया पैरासाइटिका)—हिमालय क्षेत्र में; आइपोमिया निल, आइरिस की जातियां—पश्चिमी हिमालय क्षेत्र में; मडोना लिलि (मैग्नोलिया कैम्पबेलायी,

मैग्नोलिया हाड्ग्सोनाई)—पूर्वी हिमालय में; मैग्नोलिया टेरोकार्पा—पूर्वी हिमालय में; ज्वेल-ऑफ स्ट्रिंग (मिल्लेशिया पेगुएन्सिस), इंडियन कार्क ट्री (मिलिंगटोनिया हार्टेन्सि), आयरन वुड, आरेंज जेसामाइन (मुराया पानीकुलाटा), (ऑकना जाबाटापिटा), मुसैंडा हिर्स्युटिस्सिमा—दक्षिण भारत के पर्वत में; मलय पाडक (टेरोकार्पस इंडिकस), मुकचंदा, मेपल ट्री (टेरोस्पर्मम ऐसरीफोलियम), रोडोडेंड्रान एंथेपोगान—पश्चिमी हिमालय में, वृक्ष रोडोडेंड्रान (रोडोडेंड्रान आर्बोरियम), जाइंट ब्लड रोडोडेंड्रान (रोडोडेंड्रान बार्बेटम), रोडोडेंड्रान हाड्ग्सोनाई—हिमालय क्षेत्र में, राइटिया कॉक्सिनिआ, राइटिया टोमेन्टोसा इत्यादि।

कई पीनशिफ (आर्किड) की जातियों के पुष्प विचित्र आकार व बनावट के कारण देखने में सुंदर व लुभावने होते हैं। कटे पुष्प को दीर्घ काल तक घर में सजावट हेतु रख सकते हैं। भारत में पीनशिफ (ऑर्किड) की लगभग 1300 जातियां, 184 वंश के अंतर्गत मिलती हैं। इसमें से उत्तरी-पश्चिमी हिमालय में लगभग 200 तथा अंडमान-निकोबार द्वीप समूह में लगभग 82 जातियां पायी जाती हैं।

प्रमुख जातियां कामन फाक्सटेल आर्किड (एरिडिस मल्टीफ्लोरा), फ्रेग्रेंट फाक्स टेल आर्किड (एरीडिस रेजिया), सभी काटलिया की जातियां; लेडीज स्लीपर आर्किड (साइप्रेपीडियम कांडिडिडम); साइप्रेपीडियम पार्वीफ्लोरम; साइप्रेपीडियम रेगीनी; क्रिस्टेटा सीलोगाइन (सीलोगाइन क्रिस्टेटा); आइवरी फ्लावर्ड सिम्बिडियम (सिम्बिडियम इबर्नियम); टाइगर स्ट्रीप्ड सिम्बिडियम (सिम्बिडियम टाइग्रीनम); लेडीज ह्वाइट सिम्बिडियम (सिम्बिडियम व्हाइटी); फिशरअपर्ण डेंड्राबियम, डेंड्राबियम क्राइसैंथम, डेंड्राबियम क्रेपीडेटम; अनन्नास आर्किड (डेंड्राबियम डेन्सीफ्लोरम); फोर्मोसा डेंड्राबियम (डेंड्राबियम फार्मोसम वार्डीयानम); कुलीन डेंड्राबियम (डेंड्राबियम नोबाइल); प्राइमरोज आर्किड (डेंड्राबियम प्रिमुलाइम); बार्डी डेंड्राबियम (डेंड्राबियम); लीलिया अल्बिडा; लीलिया क्रिस्पा; लीलिया फ्लावा; लीलिया पर्पुराटा; हजारों पौंड का आर्किड (पैफिओपेडिलम वेनुस्टम); फूल छड़ी आर्किड (पापिलिओनान्थे टेरेस); गंधकीय-रंग आर्किड (फाइउस फ्लावुरा); तपस्वनी आर्किड (फाइउस टांकरविलीआइ); रेटल स्नेक आर्किड (फोलिकोटा इम्ब्रीक्रेटा); पतिंगा (मॉथ) आर्किड (फैलीनॉसिस अमाबाइले, फैलीनॉसिस पारिसी, फैलीनॉसिस स्पेशिओसा); हुकर विंडोशिल्स आर्किड (क्लियोमी हुकरिआना); ड्वार्फ विंडोशिल्स आर्किड (क्लीयोमी हुमिलिस); हिमालय का विंडोशिल्स आर्किड (क्लीयोमी पिकाक्स); स्पाथौग्लाट्टिस आफिनिस; स्पाथौग्लाट्टिस आयुरिआ; स्पाथौग्लाट्टिस प्लीकाटा; स्पाथौग्लाट्टिस ग्लांडिफोलिया; मार्सल आरेंज धुनिया (धुनिया मार्शलियाना); वैंडा वैंसोन, भारतीय नीला वैंडा (वैंडा सीरूलिया); वैंडा सीरुलेसेन्स; वैंडा क्रेस्टेटा, वैंडा हुकरिआना, भारतीय भूरा वैंडा, वैंडा स्टैंजिआना, वैंडा टेरेस; हिमालय का सफेद वैंडा (वैंडा अंडुलाटा); एवं उसकी कई संकर जातियां हैं जो ज्ञान-विज्ञान व बागवानी महत्व के साथ-साथ अत्यधिक व्यावसायिक महत्व की भी हैं।

कुछ जाति के अलंकृत पौधे जो भारत में अत्यधिक पाए जाते हैं, वह भारतीय मूल के नहीं हैं। इन्हें विदेशों से लाने का प्रमुख श्रेय पौध प्रेमी, विशेषकर मुगल सम्राटों, ईसाई धर्म प्रवर्तकों, वनस्पतिज्ञों, यूरोप के अधिकारीगणों, अंग्रेजों तथा पौध अन्वेषकों को है। ये पौधे देश की आर्थिक समृद्धि में भी वृद्धि कर रहे हैं। अलंकृत बागवानी में मौसमी पौधों का विशेष स्थान है। इन पौधों में एजीरेटम कॉसमोस, डहेलिया, जीनीया साल्विया (मैक्सिको); गेंदा (अफ्रीका तथा मैक्सिको); कारनेसन्स, हॉलीहॉक, एस्टर (चीन); लार्कस्पर, नाइजेला, कांडीटाफ्ट, पेजीस्वी टविलियम (यूरोप), वालफ्लावर, डेजी, कांडीटाफ्ट अंबेलाटा (दक्षिणी यूरोप, पूर्वी यूरोप); कार्नफ्लावर, लाइमोनियम (दक्षिणी यूरोप, व उत्तरी अफ्रीका); गार्डन पॉपी (यूरोप, पश्चिमी एशिया, उत्तरी अफ्रीका); छांटीराइनुम वायला (यूरोप व अफ्रीका); सापोनेरिया (यूरेशिया); केलीफोर्नियन पॉपी, क्लार्किया (केलीफोर्निया); क्लीयोम, पार्चुलाका, नास्टर्शियम, ब्रोवालिया, गार्डन निकोटियाना, साइजेंथुस, माईमुलस (दक्षिणी अमेरिका); गोडेशिया, कोरियोप्सिस, गलार्डीया (उत्तरी अमेरीका); आन्स्चुसा मोमोलोप्सिस, डीमोफोर्थिका, वेनाडियम, लोबोलिया, नेमेसिया, गाजानिया, जारबेरा, नीली डेज़ी (दक्षिण अफ्रीका); आर्क्टोटिस (अफ्रीका); पिंक (चीन व जापान); गिप्सोफिला (काकाशश व एशिया माइनर); क्राइएन्थुस, ब्राकीकीम, हेलीप्टेरुम (आस्ट्रेलिया); स्वीट-पी या गार्डन-पी (इटली); स्ट्रा फ्लावर-हेलीक्राइसम (फ्लोरिडा व टेक्सास); साइनोग्लासुम, हालीट्रोप (पेरू), पेटुनिया (आर्जेंटाइना); टोरेनिया (कोचीन चाइना); लाइनेरिया (पुर्तगाल व उत्तरी अफ्रीका) मूल के हैं। गमलों अथवा क्यारियों में सामूहिक अथवा अलग-अलग रोपण करके (मौसम के अनुसार) ये विविध रंगों वाले फूल उगाए जाते हैं।

विदेशी मूल की अलंकृत झाड़ियों, लताओं एवं वृक्षों में गुड़हल, गंधराज, गुलाब, सावनी (चीन); विस्टेरिआ (चीन व बर्मा); उर्वशी या आम्हेरास्टीमा (बर्मा); मोरपंखी, चाइना पाम (चीन व जापान); *हिबिस्कस सीजोपेटालुस,* गोरख इमली या झाड़-फानूस, फाउंटेन वृक्ष, मुसांडा (अफ्रीका के उष्ण कटिबंधीय क्षेत्र); चीता, भोला (अफ्रीका के उष्ण कटिबंधीय क्षेत्र व मलाया); वानीस्टेरा, लहसुन-लता, बोगेनविलिया, अलामांडा, रासीलिया, फूलछड़ी, आलू लता, पैशन फ्लावर, मिर्च-गुड़हल, (मैक्सिको व वेनेजुएला); जाक्वीनिया (मैक्सिको व वेस्टइंडीज); सफेद गुड़हल (सीरिया); मोमबत्ती वृक्ष (पनामा); कस्तूरी, अपराजिता, मुना या हामेलिया, एलोएल्डर, स्टाचीटारफीटा, पीला कनेर, मॉनीहॉट, कालवीलिया, बुडलीजा, हजार खारा, ट्रेवलर्स ट्री या पथिक वृक्ष (अमेरिका के उष्ण कटिबंधीय क्षेत्र); सालीडागो, सारंगा, नागलिंगम् या शिवलिंगी वृक्ष, वासंती, आलू वृक्ष, आन्टीगोनान (दक्षिणी अमेरिका); विलायती सीरिस, क्रिस्टमास पोनेसेटिआ (मध्य अमेरिका); स्वीट़ आकेसेआ (अमेरिका); कनेर (चीन व कोचीन चाइना); रूपासी या सिल्वर-ओक (क्वींसलैंड व न्यू साउथ वेल्स); कृष्ण चूरा, कटक, लिलि/काटास्बीआ, रायानी या पोर्टलांडिआ, रात की रानी, दिन का राजा, रंगून लता (बर्मा, मलाया, न्यू गुयाना व फीलीपाइन्स); बधारा, बेट्निआ या फीलीपाइन्स का मुसंडा

(फीलीपाइन्स); लाल कसोरा, जयाती (क्यूबा); लाबोनी या लीमोनिया (क्यूबा व ब्राजील); गुलमोहर, डोम्बेया (मेडागास्कर); पीला गुलमोहर (श्रीलंका); जावा कैस्सिया (जावा व सुमात्रा); गार्डेन क्रोटान (जावा व आस्ट्रेलिया); बोतल ब्रुश व क्वींसलैंड काउरी (आस्ट्रेलिया); विक्टोरिया, जल कुमुदनी, सतावा या गुस्ताविआ (ब्राजील); क्रुजिआना, जल कुमुदनी (पराग्वे); आदि मुख्य हैं।

भारतीय वनस्पति उद्यान, हावड़ा (रॉयल बोटॉनिक गार्डन) ने कई प्रमुख विदेशी जातियों का प्रथम प्रवेशन व अनुकूलन करके भारत के विभिन्न भागों में वितरण व प्रसारण किया है। इसकी स्थापना 1767 में की गई थी। सामान्य विदेशी शोभनीय पौधों में गोल्डन ट्रम्पेट बुश, परपल आलामंडा, कॉमन स्नैप ड्रेगन, अफ्रीकन गेंदा, पीला कनेर, सदाबहार, जावा, कैस्सिया, बर्मा की गुलाबी कैस्सिया, हॉलीहॉक, कॉकस्पर, कोरल वृक्ष, ब्लाकि आई डाडप , चीनी इक्जोरा, सिंगापुर इक्जोरा, घंटी कचनार, गुलदाउदी, चांदनी या तगर, चाइना गुलाब या चेंजइवुल रोज, गुड़हल, रोज-ऑफ-शारून, कामन मार्निगं ग्लोरी, फ्रांगपानी या प्लूमेरिया, रजनीगंधा, फ्रेंच गेंदा, मुल्लुता, पीली गुलमोहर, सूरजमुखी, बोतल ब्रुश, कनेर, डहेलिया, गुड़छड़ी, गुलतोड़ा, इत्यादि प्रमुख हैं। कुछ सामान्य पुष्पों में आन्टीराहीनुम, चाइना एस्टर, गुलदाउदी, क्रोसांड्रा, डहेलिया, ग्लोडीओली, जैसमिन, कमल एवं रजनीगंधा की खेती व्यवसायिक ढंग से की जाती है। कुछ पुष्प व्यवसायिक महत्व के अवश्य हैं लेकिन इनकी खेती कम ही होती है। इनमें कार्नेशन, अमारिलिस, हिप्पिएस्ट्रम, जर्बेरा, एन्थुरीयम, हेमेरोकालिस, बर्ड्स-ऑफ-पैराडाइस, स्टाक्स, नार्सिसस, पीनशिफ(आर्किड्स) इत्यादि प्रमुख हैं।

पुस्तक में प्रत्येक जाति के पौधों के हिन्दी नाम के साथ-साथ अंग्रेजी सामान्य नाम, प्रादेशिक स्थानीय नाम, वैज्ञानिक नाम व कुल, संक्षिप्त परियच, पुष्प एवं फलन का समय, कृषि-पद्धति, प्रसारण-विधि एवं शोभनीय-अलंकृत गुण के साथ औषधीय व आर्थिक उपयोगिताओं का संक्षिप्त वर्णन है। प्राय: मुख्य वर्णित पौधों का छायाचित्र दिया गया है।

अनुक्रम

कंदीय पौधे

वैजयंती

वैजयंती या केना एक बहुत प्रचलित बहुवर्षीय पौधा है। पत्तियां केले की भांति चिकनी, हरे या ताम्र रंग की या चित्तीदार, पीली धारियों वाली होती हैं। पुष्प असंगत, विचित्र आकार में असममिति, चमकीले होते हैं जो देखने में बहुत सुंदर लगते हैं। पुष्प भड़कीले व कई रंग में सामूहिक रूप से खिलते हैं।

यह नम स्थानों, झील, तालाब व झरनों के किनारे बहुलता से पाया जाता है। मुख्यतया इसको उद्यानों एवं बागों के अर्द्ध-छायादार स्थानों में लगाया जाता है। पुष्प के बाह्य दल हरे या ताम्र रंग के तथा पंखुड़ियां, बाह्य दल की तरह हरी अथवा रंगीन होती हैं। पुष्प के रंगीन भाग को स्टॉमिनाडिया कहते हैं, पुंकेसर स्टॉमिनाडिया का प्रतिनिधित्व करते हैं, जो पुष्प का अलंकृत भाग होता है।

केना की लगभग 50 जातियां, प्रायः उष्णकटिबंधीय तथा उपोष्ण देशों में पाई जाती हैं, जिनमें वैजयंती प्रमुख है। इसके कड़े व काले बंदूक की गोली समान बीज के कारण इसे साधारणतया 'इंडियन शॉट' कहते हैं। संस्कृत में देवकिली; कृष्णातामारासर्वज्दया, सर्वाजया, काला फुल (बंगाली); देवकली (मराठी); हुदिंगाना (कन्नड़); काल्वालाई, पुवालाई (तमिल); कृष्णातमाय (तेलुगु) तथा काटुवाला मलयालम में कहते है। इसका वनस्पतिक नाम *केना इंडिका* है, जो एक बीजपत्री कुल-केनेसी में आता है।

यह एक बहुवर्षीय शाक है। जड़ें प्रकंदीय, 2.5 मी. तक लंबी; तना गोलाकार, मांसल, चिकना; पत्तियां आयताकार, ऊपरी छोर पतला तथा निशिताग्र; पुष्प-युग्म शीर्षस्थ, छोटा; पुष्प सहपत्र चक्राकार; पुष्प पतला तथा उच्छीर्ण; दल लगभग 4 से.मी. लंबे, ऊपरी स्टॉमिनाडिया, गहरा लाल, लगभग पांच से.मी. लंबा होता है। वर्तमान में वैजयंती की जो जातियां उद्यान, पुष्प-प्रेमियों के मध्य पायी जाती हैं वह केना इंडिका, केना फ्लासिड, केना इरिडिफ्लोरा, केना ग्लाउको तथा केना वासीविस्जी के संस्करण से उत्पन्न हुई हैं। संकर प्रजातियों के पुष्प बड़े, विभिन्न आकार एवं रंग के होते हैं।

सामान्यता पुष्प प्राय: वर्ष भर आते हैं लेकिन जनवरी-अप्रैल में अधिक संख्या में आते हैं। पौध-प्रसारण प्रकंद के टुकड़ों द्वारा जुलाई में करते हैं। बीज द्वारा प्रसारण के लिए बीज को गर्म पानी या गोबर की खाद में 3-4 दिनों तक भिगो देते हैं, जिससे कड़े छिलके मुलायम हो जाते हैं। उसके बाद चाकू से बीज के ऊपर पतला लंबा चीरा लगाकर मृदा में रोपित करने से अंकुरण में आसानी होती है।

पौधों के उचित विकास हेतु उर्वर भूमि के साथ-साथ प्रकाश-युक्त, खुला हुआ तथा अधिक नमीयुक्त स्थान अच्छा होता है। इसकी कृषि कम उपजाऊ भूमि में भी समुचित गोबर की खाद देने पर की जा सकती है, जबकि अन-उपजाऊ जमीन में बालू व पत्ती की खाद मिलाने पर कृषि करने से पौध में अच्छे विकास के साथ-साथ पुष्प भी बड़े व अच्छे आते हैं।

प्रकंद के छोटे टुकड़े, जिसमें एक या दो पार्श्व कलियां हों, लगभग 45-60 से.मी. की दूरी व 2.5 से.मी. की गहराई पर रोपित करके मिट्टी से ढकने के बाद हल्की सिंचाई कर देते हैं। यद्यपि इसकी खेती में अधिक सावधानी की आवश्यकता नहीं पड़ती, फिर भी समयानुसार सिंचाई एवं सड़ी हुई जैविक खाद तथा द्रव खाद का घोल बनाकर डालने से पौधों का समुचित विकास होता है तथा अच्छे व ज्यादा पुष्प आते हैं। पोटेशियम सल्फेट तथा अमोनियम फॉस्फेट का 2:5 के अनुपात में मिश्रण बनाकर लगभग दो औंस प्रति वर्ग मीटर, एक वर्ष में तीन बार देने व तत्पश्चात सिंचाई करने से अच्छा परिणाम आता है। साधारणतया प्रकंद से पहली बार निकले हुए तने को अलग कर देने से जड़ों का समुचित विकास होता है। द्वितीय अंकुरण में पुष्प आने के बाद प्रकंद को वर्षा के पूर्व मृदा से निकाल कर ठंडे व छायादार स्थान पर संग्रहित करते हैं तथा अच्छी प्रकार से तैयार क्यारियों में अगले वर्ष पुन: रोपित करने से अच्छे पुष्प आते हैं।

इसकी खेती गमले में भी भली-भांति हो जाती है। मिट्टी के गमले में लाल मिट्टी अथवा बाग की मिट्टी, सड़ी हुई पत्ती की खाद, दोमट मिट्टी व लकड़ी का कोयला 2:2:1:1 के अनुपात में मिलाकर भर देते हैं। एक या दो प्रकंद के छोटे टुकड़ों को जून से पूर्व गमलों में रोपित करते हैं। गमले की समुचित सिंचाई एवं जलनिकास पूर्णरूपेण आवश्यक है। वैजयंती को छेदक एवं घास के फुदका रोग से बचाने के लिए कीटनाशक दवाओं का छिड़काव करते हैं। सूंडियों को हाथ से पकड़कर नष्ट कर देते हैं। कवकीय बीमारियों से बचाव हेतु पोटेशियम परमेगनेट का छिड़काव लाभप्रद होता है।

वैजयंती का वर्गीकरण पुष्प के प्रारूप एवं पत्तियों के रंगरूप के आधार पर करते हैं। पुष्प प्रारूप के आधार पर— (1)छोटा पुष्प, (2) आर्किड या इटालियन, (3) ग्लाडिओलस या फ्रेंच; *पत्तियों के आधार पर*— (1) हरी पत्तियां, (2) कस्कुट रंग की पत्तियां; तथा *पौधों की ऊंचाई के अनुसार*— (1) लंबे पौधे (120-180 से.मी.)

रेडियो (सफेद पुष्प), एप्रिकाट किंग, अलीपुर ब्यूटी, किंग हमबोल्ट (नारंगी), पसटिकांस्टर (पीला), आसंत-डार्क एवं प्रेसीडेंट (गहरा लाल); (2) बौने पौधे (60-120 से.मी.) ब्यूटी (गुलाबी), स्टारडस्ट (हल्का पीला-सफेद), स्वर्णहंस (लाल), क्लियोप्टोरा (नारंगी), एप्रीकाट (पीला) की पत्तियां धारीदार व चित्तीदार होती हैं जबकि इंप्रेस ऑफ इंडिया की पत्तियां कस्कुट रंग की होती हैं। यद्यपि वैजयंती का पुष्प काटने के बाद अधिक समय तक नहीं रख सकते हैं फिर भी दीवार के किनारे अलंकृत बाड़ के रूप में, गमले के अंदर, बरामदे एवं खुले छायादार आंगनों में सजाने के लिए उपयुक्त है।

शोभनीय गुणों के अतिरिक्त इसके तने के रेशे से सुतली तथा बोरा अथवा थैला बनाया जाता है।

सुदर्शन

सुदर्शन को कनंवल तथा पिंडर भी कहते हैं। इसे वनस्पति शास्त्र में क्राइनम कहते हैं। इसकी उत्पत्ति ग्रीक शब्द से हुई है जिसका तात्पर्य एक लिलि से है, जो लिलि कुल *आमरिलिडेसी* का पौधा है। इसके सुंदर, बड़े पुष्प लंबे स्केपों के क्षत्रक में होते हैं जो स्पेथनुमा सहपत्रिकाओं के नीचे से निकलते हैं। कीपाकार पुष्प सफेद, लाल, बैंगनी छींटदार; नली, लंबवत सीधी या कुछ ऊपर उठी हुई, पालित 6, रेखाकार से आयताकार; पुंकेसर 6 होते हैं, जो पुष्प की जिह्वा के साथ संलग्न होते हैं। पुतंतु स्वतंत्र, सूताकार, सीधा; परागकोष रेखाकार, पृष्ठलग्न एवं मुक्तदोनी होते हैं। अंडाशय प्रत्येक कोष में कुछ या कई; वर्तिका सूताकार; वर्तिकाग्र सूक्ष्म होते हैं। फल लंबे, अर्धगोलाकार; बीज कम मात्रा में, गाढ़े पदार्थ के अंदर पाए जाते हैं। इसकी सभी जातियां मनमोहक सुगंध बिखेरती हैं। पौधे झरनों के किनारे, नम स्थानों तथा गमलों में लगाने हेतु उपयुक्त होते हैं।

सुदर्शन की लगभग 200 जातियां उपोष्ण एशिया, उपोष्ण अफ्रीका, आस्ट्रेलिया व प्रशांत महासागर क्षेत्र में पाई जाती हैं। इनमें से कुल 13 जातियां भारत में पायी जाती हैं। इनके अंतर्गत इंटीड्योट लिलि तथा एशियाटिक प्वाइजन बल्ब अथवा एशिया के विषकंद—*क्राइनम एशियाटिकम* प्रमुख हैं। जो मुख्यतया उद्यानों, वेदिका उद्यानों, घास की पट्टिका, तालाबों, झीलों के किनारे एवं दीवार के सामने लगाए जाते हैं। पुष्प ताराओं के आकार के, सुंदर तथा सुगंधित होते हैं। भारतीय वनस्पतिशास्त्र के जनक एवं भारतीय वनस्पति उद्यान के प्रथम वैतनिक अधीक्षक डा. विलियम राक्सबर्ग ने इसकी बड़ी, सुंदर, चिकनी, हरे रंग की पत्तियों की प्रशंसा करते हुए कहा था कि यह उद्यानों में उगाने के लिए बहुत अच्छा पौधा है।

इसे संस्कृत में नागदामिनी, नागपात्रा अथवा विश्वमंडल, बंगाली में नागदवन, उड़िया में आर्सा, गुजराती में नागदमनी, मराठी में नागदेवाना तथा तमिल में चेंगालुआ, केसारघट्टु, चीपाचेट्टु, विशामुंगिल कहते हैं। दक्षिण के पठारी भागों में यह नागिन का पत्ता के नाम से प्रसिद्ध है।

कंद बड़ा, 10-20 से.मी. लंबा; गर्दन 15-23 से.मी. लंबी; पत्तियां तलवारनुमा, पीली, हरी, लगभग 15-20 से.मी. लंबी तथा 8-12 से.मी. चौड़ी; पुष्प सफेद, पतले, अंदर की तरफ गुलाबी लाल, जो लगभग 50 या अधिक के छत्रक में निकलते हैं। पुतंतु लाली लिए हुए। फल गोल तथा चिकना होता है।

पुष्प वर्ष के प्रत्येक महीने में आते हैं। लेकिन सितंबर-दिसंबर तथा फरवरी-मई तक बहुतायत में आते हैं। इसका प्रसारण बीज द्वारा आसानी से किया जाता है। प्रकंद को पौधे के नीचे से निकालकर वर्षा ऋतु में लगाते हैं। शोभनीय गुण के अतिरिक्त इसके प्रकंद तथा जड़ को आइपेकॉक के स्थान पर सर्दी, खांसी एवं मूत्र रोग संबंधी रोगों के निदान में प्रयोग करते हैं।

सुदर्शन या डच क्राइनम या स्पाइडर लिलि— क्राइनम विविपारूम या क्राइनम डॉफिक्सुम जिसको बंगाली में सुखदर्शन, मराठी में कुंबाया, मधुकंडा, उड़िया में कोडाई, गुजराती में गावेरीकंद, नागरीकांड, तेलुगु में केसारीचट्टु, तमिल में थुडावाची, विषमुंगिल, कन्नड़ में गाजिनागिडा गुजारा, काडु इसरल्ली, विष विदरु तथा मलयालम में भेल्लुट्टापोलाताली कहते हैं।

यह उष्ण कटिबंधीय क्षेत्रों, जलधाराओं के किनारे बहुतायत से मिलता है तथा इसको तालाब एवं नम स्थान पर लगाते हैं। यह अपनी रेखाकार तथा अधिक गहरी, नालीनुमा, अर्धमांसल, गहरे हरे रंग की, हल्की नतोदर, शीर्ष निषिताग्र पत्तियों के कारण आसानी से पहचाने जाते हैं। पुष्प स्केप 50-80 से.मी. लंबा तथा वर्तुलाकार; 7-9 छत्रक सफेद होते हैं। फूल मई-जून में खिलते हैं। कंद को जलने, सूजन तथा पशुओं पर विष के उपचार में प्रयोग किया जाता है।

सुदर्शन की लगभग 30 विदेशी मूल की जातियों में से विशाल माकड़लिलि-क्राइनम आमाबाइले प्रमुख है, जिसका मूल देश सुमात्रा है। इसका कंद विशाल तथा गर्दन पतली, लगभग 30 से.मी. से भी अधिक लंबी होती हैं। पत्तियां मजबूत, बड़ी तलवार के आकार की, 25-30 की संख्या में लगभग 10 से.मी. चौड़ी व एक मी. लंबी होती हैं। पुष्प लंबे, मजबूत दंड पर आच्छादित रहते हैं। यह गहरे चमकदार-लाल रंग की नलिका तथा नीचे मध्य में लाली लिये हुए और अति सुगंधित होते हैं। पुंकेसर पतला तथा प्रमुख, बाहर की तरफ मुड़े हुए दल से छोटा होता है। पौधों में फलधारण नहीं होता है। फूल के आने का समय सितंबर-दिसंबर है।

अति सुंदर आकर्षक पुष्प तथा अच्छी सुगंध के कारण इसको उद्यानों में दीवार के किनारे तथा हरियाली के मध्य में लगाते हैं। प्रसारण पौधों से निकली पुट्टियों से किया जाता है। पौधों का पुनः रोपण 3-4 वर्ष पश्चात करते हैं।

सुदर्शन की खेती थोड़ी-सी देखरेख में हो जाती है। उपजाऊ एवं हल्की मिट्टी, जिसमें हवा की मात्रा अधिक हो, इसके लिए बहुत उपयुक्त है। रोपण के पश्चात गमलों को तेज धूप से बचाने के लिए छाया में रखते हैं। गड्ढों में लगाने के लिए 50-60 से.मी. गहराई में गोबर की खाद तथा जैविक खाद डालकर, पौधे को मार्च-अप्रैल व जुलाई-सितंबर में रोपित करते हैं। फूलों का रंग बदलने तथा सूखने पर पुष्प दंड को भूमि की सतह से काटकर पृथक कर देते हैं।

डहेलिया

शोभनीय मौसमी पौधों के अंतर्गत डहेलिया बहुत ही प्रचलित पौधा है। इसकी खेती अधिकतर उद्यानों तथा पुष्प-प्रेमियों द्वारा कटे हुए पुष्प हेतु की जाती है। पुष्प अनेक आकृतियों — सिंगल, डबल; कई रंग के— लाल, सफेद, पीला, नीला, लोहित, गुलाबी होते हैं। पूर्णरूपेण खिला पुष्प बहुत सुंदर लगता है।

डहेलिया का नामकरण एक प्रसिद्ध वनस्पतिज्ञ एवं लिनियस के छात्र डा. एन्ड्रियास डाहलियुस (1751-1789) की प्रतिष्ठा में किया गया है।

यह जड़युक्त कंदीय पुष्प बहुवर्षीय शाक है, जिसका आधार काष्ठीय, उच्छीर्ण शाखादार होता है। पत्तियां—विपरीत, चिकनी व 1-3 पिक्षकी होती हैं। पुष्प लंबे पुष्पाक्ष पर; रश्मि पुष्पक अलिंगी अथवा जायांगी, फैले हुए, अछिन्न या हल्के, 3-5 दंतुर होते हैं; बिंब पुष्पक— संपूर्ण पीला, जनन योग्य; फल — एकीन, दो भागों में बंटा हुआ तथा पूर्ण रूप से चिकना होता है।

डहेलिया मैक्सिको का पौधा है, जिसका प्रथम प्रवेशन लंदन में 1789 में तथा भारत में 1872 में हुआ था।

इसकी लगभग 20 जातियों में से *डहेलिया कॉक्सीनिआ,* पिन्नाटा डहेलिया, रोजिया डहेलिया तथा डहेलिया वारियाबिलिस की खेती मुख्यरूप से की जाती है। यह एस्टर अथवा सूरजमुखी कुल एस्टरेसी के अंतर्गत आता है।

वर्तमान डहेलिया प्राय: संकर जाति के हैं, जो कई प्ररूप में पाए जाते हैं, जिन्हें निम्नलिखित ढंग से वर्गीकृत किया गया है—

1. सिंगल पुष्प वाले, 2. अनीमोन पुष्प, 3. कोलोरेट्टे, 4. पिउवोनी पुष्प वाले, 5. डेकोरेटिव— जैसे : बहुत विशाल, विशाल, मध्यम आकार, छोटा तथा बहुत छोटा, 6. बॉस, 7. पॉम्पन, 8. कैक्टस— जैसे : बहुत विशाल, विशाल, मध्यम, छोटा एवं बहुत छोटा कैक्टस, 9. अर्ध-कैक्टस — जैसे : बहुत विशाल, विशाल, मध्यम, बड़ा, छोटा एवं बहुत छोटा कैक्टस, 10. अन्य— इसके अंतर्गत फिब्रियेटेड : बहुत विशाल, विशाल, मध्यम, छोटा फिब्रियेटेड, 11. वाटर लिलि एवं 12. स्टार (तारों) की तरह।

इसकी खेती के लिए खुला वातावरण तथा सूर्य के प्रकाश की आवश्यकता होती है। ऊंची दीवार अथवा वृक्ष की छाया अनुपयुक्त होती है। खेती किसी भी मृदा में की जा सकती है। फिर भी हल्की मध्यम उपजाऊ भूमि जिसमें समुचित जल-निकास हो ज्यादा उपयुक्त होती है।

प्रसारण बीज, कलम, जड़ को काटकर तथा रोपण विधि द्वारा किया जाता है। पौध रोपण की दूरी मुख्यतया पौधे के प्ररूप व प्रभेद के आधार पर निर्भर करती है। मध्यम प्रभेद 60-90 से.मी., छोटे पुष्प वाले 75 से.मी. तथा पॉम्पन प्रजाति को 60 से.मी. की दूरी पर लगाते हैं। पौध लगाने से पूर्व 40 कि.ग्रा. नाइट्रोजन, 50 कि.ग्रा. फॉस्फोरस तथा 40 कि.ग्रा. पोटास प्रति एकड़ देना चाहिए।

रासायनिक खाद मिश्रण के रूप में सुपरफास्फेट, म्यूरेट-ऑफ-पोटास तथा यूरिया 3:2:1 के अनुपात में 1 चम्मच प्रति गमला; कलिकायन के समय हड्डी की खाद, नाइट्रेट ऑफ सोडा (4:1) के अनुपात में तथा पोटास का चूर्ण बड़े आकार के पुष्प तथा कंद प्राप्ति के लिए देना चाहिए। ¼ भाग मुर्गी अथवा बकरी की खाद ¾ भाग पानी में घोल बनाकर जड़ के पास देने से पुष्प बड़े आते हैं। पौधों पर नियमित जल का झिड़काव करना चाहिए। बड़े पुष्प देने वाले पौधों को उचित सहारे की आवश्यकता पड़ती है। फूल का रंग बिगड़ने से बचाव के लिए छाया आवश्यक है। आंशिक रूप से खिले पुष्प को सजावट के लिए काट लेना चाहिए। कंद को निकालकर बालू के अंदर आगामी वर्ष में बोने के लिए रख देते हैं।

प्राय: पौधों पर माहू अथवा चेपा कोढ़ रोग फैलाते हैं। तंबाकू के घोल का छिड़काव अथवा 2 प्रतिशत मेटासिड या वासुदिन के छिड़काव से इसे रोका जा सकता है।

फुदका के आक्रमण से पत्तियां चित्तीदार हो जाती हैं। इसकी रोकथाम के लिए मैलाथियान 3 प्रतिशत अथवा मेटासिड का छिड़काव करते हैं। चुणदा अथवा फुनगा का निदान मैलाथियान 1 प्रतिशत या मेटासिड के छिड़काव से हो जाता है। लाल मर्कट पत्तियों

वैजयंती पुष्प – लंबी प्रजाति

वैजयंती (संकर) – बौनी प्रजाति

वैजयंती (संकर) – लंबी प्रजाति

वैजयंती (संकर) – बौनी प्रजाति

वैजयंती – प्रकंद

सुदर्शन – पुष्प

सुदर्शन –पूर्णरूपेण खिला हुआ पुष्प

डहेलिया पुष्प

डहेलिया पुष्प

डहेलिया– कैक्टस प्रजाति

डहेलिया – कंदीय जड़ें

ग्लोडिओली–पुष्प

गुलछड़ी – व्यवसायिक खेती

गुलछड़ी – अंखुओं के साथ कंद

पर जाल बना देते हैं, इससे बचाव के लिए मेटासीस्टॉक्स तथा काराथेन का छिड़काव करते हैं। स्लग तथा भृगंकर को हाथ से नष्ट कर देते हैं। कुतरा से बचाव हेतु चूने का छिड़काव करना चाहिए; चूर्णिक्त का बचाव कापर सल्फेट, बावास्टिन (0.1 प्रतिशत) के छिड़काव से करते हैं। बादल वाले मौसम में बोट्रीटिस अंगमारी के प्रभाव से नई कलियां भूरा गलन रोग से प्रभावित होने से दलपुंज रंगहीन हो जाते हैं, इसकी रोकथाम के लिए जिनेव, कॉप्टान या फरबान का छिड़काव करते हैं।

मृदा में कूपरंध्रों की कमी के कारण तना गलने लगता है। इससे बचाव के लिए धुआं करके या रासायनिक विधि से रोगाणुओं को मारा जा सकता है। कडुवा की रोकथाम टर्बेन (5 प्रतिशत) के छिड़काव से होती है। शिखर-ग्रंथि अथवा मूल-ग्रंथि रोग के कारण पौधों के शीर्ष भाग और जड़ों में फोड़े जैसी गांठ निकलने से पौधे का विकास अवरुद्ध हो जाता है। इससे बचाव के लिए कंद को रोपित करने के पूर्व स्ट्रेप्टोमाइसिन घोल में डुबाना चाहिए। कोढ़ के कारण पत्तियां धब्बेदार तथा हल्के हरे रंग की हो जाती हैं, ऐसे पौधों को समूल उखाड़ कर नष्ट कर देना चाहिए।

ग्लोडिओली

ग्लोडिओली अपने सुंदर कीपाकार पुष्प के लिए प्रसिद्ध है। इसके पुष्प विभिन्न आकार, रमणीय, आकर्षक रंग—सफेद, पीला, गुलाबी, नारंगी, अंगूरी लाल तथा कई मिश्रण में होते हैं। लंबे स्पाइक पर नीचे से ऊपर की ओर खिलते हुए पुष्प दीर्घकाल तक ताजा बने रहते हैं। यह फूल, फूलदानी, गुलदस्ते एवं सामाजिक व वैवाहिक कार्यक्रमों में खूब इस्तेमाल किए जाते हैं।

ग्लोडिओली, ग्लोडिओलस वंश एवं इरीडेसी कुल का पौधा है। लैटिन में 'ग्लोडिअस' का अर्थ तलवार की तरह की पत्तियां हैं। इसे सोर्ड-फ्लैग भी कहते हैं। इसकी लगभग 160 जातियां दक्षिण अफ्रीका व मध्यवर्ती पश्चिम एशिया में पाई जाती हैं। मूल जातियों को अत्यधिक संकरण व संकलन के कारण अलग करना असंभव है। संकर जातियों के वनस्पति नाम ग्लोडिओलस गान्डावेन्सिस, ग्लोडिओलस लेमोइनीई, ग्लोडिओलस चिल्डसी, ग्लोडिओलस अलाटुस, ग्लोडिओलस ग्रॉन्डिस, ग्लोडिओलस वाटसोनियस, ग्लोडिओलस बाइफ्लोरस, ग्लोडिओलस विट्टेटम, ग्लोडिओलस प्रीमोलिनम, ग्लोडिओलस पर्पुरीयाआऊरटम, ग्लोडिओलस सीट्टासीनुम, इत्यादि हैं।

यह एक बहुवर्षीय शाक है। तना फूला हुआ, घनकंद चपटा, पत्तियां तलवार के आकार की तथा शिराविन्यास विशिष्ट रूप से समानांतर होता है। पुष्प, शीर्षस्थ स्पाइक, नारूवत, प्रायः कीपाकार, रंगीन, पत्तीनुमा व सहपत्र के मध्य से निकलते हैं। पुंकेसर 3; वर्तिका लंबी; अंडाशय-3 कोष्ठक; फल-संपुट; बीज—चपटे एवं पंखदार तथा कभी-कभी गोलाकार होते हैं।

पुष्प मैदानी भागों में फरवरी-अप्रैल तथा पर्वतीय क्षेत्रों में सितंबर-दिसंबर में आते हैं। प्रसारण बीज द्वारा होता है लेकिन सामान्यतया घनकंद की पुट्टियों को अलग करके लगाते हैं। पौधों का समुचित विकास सूर्य के प्रकाश में ठीक होता है। इसके लिए बलुई/दोमट मृदा विशेष उपयुक्त होती है। कठोर तथा अनुर्वर भूमि में पौध लगाने से पहले सड़ी पत्ती की खाद या जैविक खाद एवं बालू के मिश्रण को डालना चाहिए। पौधों को क्यारियों के अतिरिक्त गमलों में भी लगाते हैं।

मैदानी भागों में घनकंद की पुट्टियों को सितंबर-नवंबर तथा पर्वतीय क्षेत्रों में मार्च—जून तक अच्छी प्रकार तैयार क्यारियों में लगाते हैं। रोपण सड़ी जैविक खाद 4 कि.ग्रा. प्रति मीटर क्षेत्रफल में डालकर किया जाता है। घनकंदों को कतारों में 20-30 से.मी. की दूरी पर, 5-10 से.मी. पौध-से-पौध, लगभग 3 से.मी. बालू से ढक देते हैं। अच्छे पौध विकास तथा बड़े आकार के फूलों के लिए सिंचाई, निराई-गुड़ाई के साथ-साथ समय-समय पर घोल के रूप में खाद अवश्य देनी चाहिए।

गमले में खेती करने के लिए, बलुई-दोमट मृदा, सड़ी गोबर की खाद एवं पत्ती की खाद 2:1:1 के अनुपात में तथा थोड़ी मात्रा में हड्डी की खाद के मिश्रण को भरकर, 3 से 5 पुट्टियों को लगाते हैं। पुष्प के पूरी तरह खिलने के बाद, जब पत्तियां पीली हो जायं तब तने को भूमि की सतह से 30 से.मी. ऊपर काटकर अलग कर देते हैं। तदनुपरांत घनकंद को मिट्टी के अंदर से निकालकर सूखे, ठंडे एवं छायादार स्थान में बालू के अंदर परिपक्व होने के लिए रख देते हैं। नई पत्तियों के निकलने पर अगले वर्ष रोपित करते हैं।

साधारणतया पौधों पर किसी कीट एवं बीमारियों का प्रकोप नहीं होता है लेकिन घनकंद में गलन दिखाई पड़ने पर प्रभावित घनकंदों को पृथक करके फेंक देना चाहिए।

प्रमुख संकर प्रजातियां निम्न हैं:

सफेद एवं पीला-सफेद: यूरोप, मारिया, गोरेट्स, प्रिंस, ह्वाइट फ्रेंडशिप, ह्वाइट सेनसेशन।

पीला: फ्लावर-सांग, येलो गोल्डेन किंग, सिल्वर किंग, ग्रीन वुडपेकर, नाइग्रा, फेबुस, स्पॉट-ह्वाइट।

नारंगीः हॉकसेमर, पीटर पियर्स, क्वीन ऑफ हालैंड

नारंगी, गुलाबी-लालः- आल्फ्रेड नोबेल, अमेरिका, हैप्पी इंड, होप एंड ग्लोरी, रोमन हालीडे, बोन वोयेज, डा. फ्लेमिंग, मिसेज फ्रांक, पिंक सेनसेशन, वाइल्ड रेअर

लालिमा लिए हुएः एरिस्टोक्रेट, लाइफ फ्लेम, ऑस्कर, प्रिंसेस, सॉक्रेटस, ट्रेडर हार्न।

नीला तथा बैंगनीपन लिए हुएः ब्लू पीयर्ल, फिडेलिओ, मेमोरियल डे, पान्डियन, मार्बल वायलेट।

लोहितः इंप्रेस ऑफ इंडिया, मिसेज मिलिन्स तथा छोटे ऊंचाई वाले पौधों की संकर प्रजातियों में बो पीप, डांसिंग डॉल, ग्रीन विच, रॉयल टच, ट्रापिकल सनसेट, वेस्ट इंड, जेनिथ, इत्यादि प्रमुख हैं।

गुलछड़ी

गुलछड़ी अथवा गुलशब्बो, जिसे अंग्रेजी में टयूबरोज कहते हैं, एक बहुत ही प्रचलित पुष्प है, जो कंदीय पौधों के अंतर्गत आता है। अपने विशेष गुण — मोम की तरह धवल तथा अति सुगंधित पुष्प हेतु लगाए जाते हैं। इसके कटे हुए पुष्प में ताज़गी अधिक समय तक रहने के कारण इसकी मांग माला अथवा पुष्प हार, पुष्पगुच्छ, टेबल सजाने हेतु एवं महिलाओं के केश-सज्जा में प्रयुक्त होते हैं।

इसे संस्कृत व बंगाली में रजनीगंधा; तेलुगु में संपदराज़ी, नीला साम्पेंगी; तमिल में नीला साम्पेबी; कन्नड़ में सुगंधराजा कहते हैं। इसका वनस्पतिक नाम पोलियान्थेस ट्यूबरोजा है। यह अमारीलीडेसी कुल का पौधा है। पोलियान्थेस शब्द की उत्पत्ति ग्रीक भाषा के पोलियास व ऐथेंस से मिलकर हुई है। जिसका अर्थ है शुभ्र व चमकीले पुष्प। ट्यूबरोजा (ट्यूबर-ओसा) का अंग्रेजी में अर्थ कंद है।

पौध, बहुवर्षीय शाक, सीधा, 60-120 से.मी. ऊंचा, जड़ें कंदीय होती हैं। पत्तियां घास की तरह लंबी, गहरे हरे रंग की, रेखाकार; तने वाली पत्तियां तुलनात्मक रूप से छोटी; पुष्पवृंत पत्तियों के समूह से निकलते हैं। कली नालवत, 2.5 से.मी. लंबी; पूर्णरुपेण खिले पुष्प मोम की भांति सफेद तथा अत्यंत सुगंधित होते हैं। पुष्प का बाह्य मुख अधिक खुला हुआ तथा अंडाकार; वृत्तखंड—कुष्ठाग्र, लिलि की भांति दिखता है।

इसका मूल स्थान मैक्सिको तथा दक्षिण अमेरिका है लेकिन इसकी जंगली प्रजाति नहीं पायी जाती है। संभवतः भारतीय वनस्पति उद्यान में इसका प्रथम प्रवेशन 1794 के

पूर्व हुआ था। इसकी व्यावसायिक खेती कर्नाटक, पश्चिम बंगाल, तमिलनाडु, आंध्र प्रदेश, महाराष्ट्र, गुजरात में होती है। इसकी खेती बहुत ही आसान है तथा अधिक आय अर्जित करने वाला यह पुष्प फूलदानी में 7–10 दिनों तक ताजा रहता है।

पूर्वी भारत के मैदानी क्षेत्रों में फूलने का समय अप्रैल–सितंबर, उत्तरी भारत में जुलाई–दिसंबर, पर्वतीय क्षेत्रों में मई–जून तथा अन्य भागों में जहां की जलवायु न तो शुष्क व नम होती है फूल पूरे वर्ष आते हैं। पौध का प्रसारण बीज द्वारा होता है लेकिन साधारणतया भूस्तारिकाओं के टुकड़ों द्वारा किया जाता है। पौधों के समुचित विकास के लिए आंशिक सूर्य का प्रकाश या अर्ध छायादार स्थान की आवश्यकता होती है।

खेती के लिए चिकनी, भुरभुरी चिकनी मिट्टी, जल निकास वाली भूमि उपयुक्त होती है। मिट्टी की गुड़ाई करने के बाद सड़ी गोबर की खाद अच्छी तरह मिला देनी चाहिए। कंद को 4–6 से.मी. की गहराई पर 25 से.मी. दूरी की पंक्तियों में लगाना चाहिए। पौध की रोपाई मैदानी भाग में फरवरी–मार्च तथा पर्वतीय क्षेत्र में अप्रैल–मई में की जाती है।

व्यावसायिक खेती के लिए 30–40 टन कम्पोस्ट प्रति हेक्टेयर तथा 200 कि.ग्रा. फास्फोरस व पोटास कों पौध लगाने के पूर्व तथा 300 कि.ग्रा. नाइट्रोजन, 20 सम भाग में तथा 200 कि.ग्रा. फास्फोरस प्रति हेक्टेयर प्रत्येक वर्ष पौधों में अंखुआ निकलने के बाद तथा फूल प्रारंभ होने से पहले देनी चाहिए। खाद देने के तुरंत बाद सिंचाई जरूरी है। सिंचाई अंखुआ निकलने के बाद 7–8 दिनों के नियमित अंतराल पर करनी चाहिए। पुष्प–दंड, पौध रोपण से 90–110 दिन बाद शाम को काट लेना चाहिए। फूलों के लिए पूर्ण विकसित कलियों को चुन लेना चाहिए।

गमले में खेती करने के लिए 20 से.मी. माप के गमलों में मिट्टी, कम्पोस्ट तथा पत्ती की खाद 2:1:1 के अनुपात में भरकर 1–2 कंद लगभग 4–7 से.मी. की गहराई में लगाते हैं। कंद को प्रत्येक तीन वर्ष के अंतर पर निकाल कर ठंडे, छायादार, शुष्क स्थान पर संग्रह करना उचित है। पुनः रोपण हेतु कंद के छोटे–छोटे टुकड़ों को ब्लाइटाक्स में डुबाने के पश्चात लगाते हैं।

फुदका द्वारा प्रभावित पौधों पर 0.1 प्रतिशत रागोर या, 0.1 प्रतिशत मेलाथियान का छिड़काव पाक्षिक अंतराल पर करना चाहिए; घुन से बचाव के लिए पौध लगाने के पहले मिट्टी में बी.एच.सी. (बेन्ज़ीन हैक्साक्लोराइड) का छिड़काव करना चाहिए; माहु या चेंपा से बचाव हेतु 0.1 प्रतिशत मेलाथियान 10 दिन के अंतराल पर डासमेंथोऑट (रोगर) का छिड़काव; चुरदा या भुनगा से बचाव हेतु 0.1 प्रतिशत रोगर या 0.1 प्रतिशत मेलाथियान का छिड़काव करना चाहिए; लाल माकड़ घुन से बचाव के लिए कैल्थान का छिड़काव करना चाहिए; तना विगलन से बचाव के लिए ब्रासीकॉल या जेनेन का छिड़काव 3 सप्ताह के अंतर पर, ब्रासीकॉल (20प्रतिशत) 30 कि.ग्रा.

प्रति हेक्टेयर का छिड़काव या मरक्यूरिक क्लोराइड 0.1 प्रतिशत का छिड़काव तथा व्यावसायिक फार्मिलिन (0.2 प्रतिशत)का छिड़काव करना चाहिए।

पत्तियों के पर्णक्षालन एवं झुलसा से प्रभावित होने पर आमोनिकॉल कॉपर दो गैलन प्रति 100 गैलन पानी या ग्रीनों के साथ, सोडियम नमक या ओ-हाइड्रोक्सीडाईफिनाइल 1:200 के अनुपात में प्रत्येक 15 दिन के अंतर पर छिड़कनी चाहिए तथा पुष्प कलिका विगलन रोग से प्रभावित होने पर पौधों को पृथक करके कोरोसिव सबलीमेट (1000 में एक भाग) लगाना चाहिए।

साधारणतया पुष्प, सामान्य सिंगल पुष्प, सेमी सिंगल तथा डबल तथा सेमी डबल पुष्प लाल चित्तीदार या हल्के गुलाबी रंग के होते हैं। पीआर्ल या ड्वार्फ पीआर्ल, इक्सीलिसओर (डबल पुष्प); मैक्सिकन सिंगल (रंग-बिरंगी पत्तियां, सिंगल पुष्प) प्रजातियों की खेती भी होती है। रजत रेखा तथा स्वर्ण रेखा आधुनिक विकसित प्रजातियां हैं। डबल पुष्प वाली प्रजातियां सिंगल पुष्प वाली प्रजातियों की तुलना में कम सुगंधित होती हैं। पुष्प शोभनीय होने के साथ-साथ सुगंधित तेल (ट्यूबरोज ऑयल) भी प्रदान करते हैं।

वृक्ष

अशोक

अशोक को भारतीय भाषाओं जैसे बंगाली में अशोक, मराठी में जाजुन्दी या अशोक, गुजराती में अशोपालावा, असुपाला, तेलुगु में अशोक या कांकेली, उड़िया में आशोको, तमिल में असोगम, कन्नड़ में अक्सुन्कर या अशोकादमारा तथा मलयालम में अशोकम्, हेमपुष्पम् या वारीजुलम कहते हैं। इसका वनस्पतिक नाम सराका असोका अथवा सराका इंडिका या जोनेसिआ असोका है। यह सीसाल्पिनेसी कुल का पौधा है। साधारण जनमानस इस वृक्ष को मस्तूल-वृक्ष (मास्ट ट्री) — पालिएल्थिआ लांगीफोलिआ समझ लेता है, जिसे भारत के कुछ भागों में अशोक या देवदार कहते हैं।

'सराका' की उत्पत्ति संस्कृत शब्द 'सारा' अर्थ रंगीन चित्तीदार से हुई है एवं 'अशोका' शब्द 'अ' 'शोका'- अर्थात संताप रहित से उत्पन्न हुआ है। सराका की कुल 6 जातियां पाई जाती हैं। इसका मूल स्थान भारत, म्यांमार एवं मलेशिया है।

इसे मुख्यता उपवन तथा उद्यानों में सुंदर पत्तियों तथा गहरे लाल-नारंगी रंग के 'इक्जोरा' स्वरूप पुष्पों के लिए लगाते हैं। यह हिन्दुओं द्वारा पवित्र माना जाता है। पौराणिक मान्यताओं तथा धार्मिक रूप से इस वृक्ष को प्रेम का प्रतीक होने के कारण कामदेव से भी संबंधित मानते हैं। रावण ने सीता को हरण के पश्चात लंका में अशोक वाटिका में ही रखा था। बौद्ध धर्मावलंबियों द्वारा भी यह वृक्ष पवित्र एवं धार्मिक महत्व का माना जाता है। विवाहित औरतें इसकी कली को चैत्र (मार्च-अप्रैल) माह में अपने बच्चों को पीड़ा व संताप से मुक्त रखने हेतु खाती हैं।

इसका वृक्ष अति सुंदर, सदाबहार, मध्यम ऊंचाई लगभग 3 से 5 मीटर, सीधा मूलकांड, छिलके गहरे-भूरे अथवा बैंगनी-भूरे रंग के होते हैं। शाखाएं सभी दिशाओं में बढ़ने के कारण वृक्ष घना दिखता है तथा ऊपरी भाग देखने में बहुत सुंदर लगता है। पत्तियां — एकांतर, संयुक्त, 6-12 पत्रक के साथ 30 से.मी. तक लंबी, बिना शीर्षस्थ के, प्राय: गहरे हरे रंग की तथा नीचे की तरफ झुकी रहती हैं, जो पुरानी होने पर गहरे हरे रंग की होकर कड़ी हो जाती हैं, यह वृक्ष की एक अनोखी पहचान का द्योतक है।

पुष्प—कॉरिम्ब, बड़े समूह में, नारंगी, नारंगी-लाल या नारंगी-पीले तथा मधुर सुगंध युक्त होते हैं। यह लाल रंग में बदलकर अद्‌भुत छटा बिखेरते हैं। फली— सेम की आकार की, 10-20 से.मी. लंबी, मोटी एवं नई फलियां गुलाबी या बैंगनी रंग की होती हैं, बाद में परिवर्तित होकर भूरे या काले रंग की हो जाती हैं। इसके अंदर मटर के आकार के 4-5 बीज होते हैं। यद्यपि फूल फरवरी-सितंबर में बहुलता से आते हैं लेकिन कभी-कभी थोड़े फूल वर्ष भर दिखाई पड़ते हैं। फल मई-अगस्त में आते हैं।

ताजे बीजों का अंकुरण शीघ्र होता है तथा पौधे भी शीघ्र बढ़कर लगाने योग्य हो जाते हैं। बहुत से बीज वृक्ष के नीचे स्वत: अंकुरित हो जाते हैं, जिसे निकालकर इच्छित स्थानों पर रोपित करते हैं। 4-6 वर्ष के भीतर फूल आने लगते हैं। पौध को अर्ध-छायादार स्थान पर लगाते हैं। अधिक ताप से बचाव के लिए उचित छाया का प्रबंध आवश्यक है। वृक्ष को लगभग 5-7 मीटर की दूरी पर रोपित करते हैं।

वृक्ष का औषधीय महत्व भी है। फूल को पानी में पीसकर सेवन करने से रक्तातिसार एवं मधुमेह में लाभ होता है तथा छाल से बनी एक आयुर्वेदिक दवा 'अशोकारिष्ट' स्त्रियों को मासिक-धर्म संबंधी दोष एवं सामान्य दुर्बलता के निदान के लिए दी जाती है।

बोतल ब्रश

अंग्रेजी में बाटल ब्रश, रेड अथवा स्कार्लेट बाटल ब्रश तथा माउंटेन राटा कहते हैं। बंगाली में इसका नाम बोतोल ब्रुश है। इसका वनस्पतिक नाम कॉलिस्टेमान सिट्रीनुस या कॉलिस्टेमान लांसियोलेटस है। यह जामुन कुल मिर्टेसी का पौधा है। इसकी लगभग 25 जातियां पाई जाती हैं, जिनमें से लगभग 14 जातियां भारतीय उद्यानों में लगायी जाती हैं।

'कॉलिस्टेमान' ग्रीक शब्द 'कालोस' या काली से बना है जिसका अर्थ है बहुत सुंदर। 'स्टेमान' का तात्पर्य पुंकेसर, 'सिट्रीनुस' का लैटिन अर्थ रंगीन तथा 'लांसीयोलेटस' का तात्पर्य भालाकार पत्तियों से है।

इसका मूल देश आस्ट्रेलिया है। इसकी सुंदर, चमकदार, विलो की भांति पत्तियां व अति सुंदर, भड़कीले लोहित या लाल रंग के पुष्प, जो कई समूहों में झुकी हुई शाखाओं पर खिलने पर बोतल ब्रश की भांति होते हैं, देखने में अत्यधिक सुंदर, विशेषकर हरी पत्तियों के मध्य बहुत मनमोहक लगते हैं।

यह झाड़ी अथवा छोटा सदाबहार वृक्ष लगभग 5 मी. ऊंचा होता है। तने की छाल खुरदरी तथा भूरी व बदसूरत एवं शाखाएं नीचे की ओर झुकी होती हैं। पत्तियां — छोटी,

मोटी तथा नुकीली, हल्के हरे रंग की होती हैं जबकि कोपलें लालिमा लिए हुए नीचे झुकी होती हैं। फूल—छोटे, लाल अथवा लोहित रंग के एक समूह में बेलनाकार स्पाइक में निकलते हैं। फल — छोटे, अंडाकार होते हैं तथा अंदर असंख्य बीज होते हैं। फूल प्रायः वर्ष भर (शीतऋतु को छोड़कर) खिलते हैं लेकिन मार्च-अप्रैल तथा अक्टूबर-नवंबर में अधिक खिलते हैं।

साधारणतया इसका प्रसारण बीज, कलम तथा अंटा बांधकर किया जाता है। बीज द्वारा रोपित पौधे में फूल लगभग तीन वर्ष के अंदर ही आने लगते हैं। यह गर्म, आर्द्र जलवायु एवं नम मृदा में अच्छी प्रकार बढ़ता है। यह एक धीरे-धीरे बढ़ने वाला पौधा है, जिसे लिलि के जलीय कुंड के किनारे, झाड़ी-पट्टिका के पार्श्व तथा उद्यान के सीमांकन पर लगाते हैं। इसकी खेती थोड़ी ही सावधनी से की जा सकती है। मजबूत एवं भारी होने के कारण लकड़ियों का प्रयोग खिलौने बनाने, जूते की एड़ी एवं साज-सज्जा तथा नक्काशी के लिए किया जाता है।

पोलेंड का बाटल ब्रश : कॉलीस्टेमान पोलान्डी का नामकरण फादर डब्लू. पोलेंड, आस्ट्रेलिया के एक पौध-संग्राहक तथा वैज्ञानिक के नाम पर किया गया है। यह भी आस्ट्रेलिया का पौधा है, इसका प्रवेशन भारतीय उद्यानों में कुछ समय पहले ही किया गया है। यह झाड़ीनुमा छोटा वृक्ष होता है, शाखाएं नीचे की ओर झुकी होती हैं। पुंकेसर का पुष्प-पुतंतु गहरा लाल अथवा ईंट के रंग का तथा परागकोष पीले होते हैं, पुष्प फरवरी-अप्रैल में निकलते हैं। इसका प्रसारण बीज, कृंतन तथा अंटा बांधकर किया जाता है।

चंपा

चंपा को अंग्रेजी भाषा में गोल्डन चंपा, येलो चंपा, आरेंज चंपक तथा फ्रेग्रेंट चंपा नाम से जाना जाता है। इसे बंगाली में स्वर्ण चंपा, मराठी में सोना-चंपा, गुजराती में चंपो, री चंपो, पीतो-चंपो, असमी में तिता-सोपा, बोल्नाबाट, उड़िया में चोंपा, चौंपोको, कांचेनो, मलयालम में चंपकम्, तमिल में शेम्बुगा या चेंबुगम, तेलुगु में चंपाकामु, कन्नड़ में साम्पिगे या कोला-साम्पिगे कहते हैं। इसका वनस्पतिक नाम मिचेलिया चंपाका है। यह मैग्नोलिआ कुल— मैग्नोलिएसी का पौधा है।

मिचेलिया का नाम पीटर आन्टोनिओ माइचेली (1679-1737) की प्रतिष्ठा स्वरूप दिया गया है, जो एक ख्यातिलब्ध वनस्पतिशास्त्री थे तथा 'चंपाका' संस्कृत नाम पर आधारित है।

इस वंश की 6 जातियों के वृक्ष भारत, म्यांमार तथा मलेशिया के उष्णकटिबंधीय एवं उपोष्ण वनों में, 600 मीटर की ऊंचाई तक, मुख्यतया कम ऊंचे पहाड़ों पर, प्राय: भारत के समस्त प्रदेशों में पाए जाते हैं। विष्णु से संबंध होने के कारण इसका धार्मिक महत्व भी है। इसे उद्यानों, पार्कों, छोटे उद्यानों तथा घर के प्रांगण में अलंकृत, छायादार एवं मनमोहक सुगंधित पुष्प के लिए लगाया जाता है। यह सड़क के किनारे लगाने योग्य उपयुक्त वृक्ष है।

यह सदाबहार वृक्ष है जिसकी ऊंचाई 25 मीटर, शाखाएं भूरे रंग की, शीर्षस्थ सुंदर तथा आच्छादन त्रिकोणाकार व छायादार होता है। पत्तियां — एकांतर, सरल, चमकीली, हरी, बड़ी, कभी-कभी किनारा तरंगित होता है। फूल-पीला अथवा हल्का नारंगी, लगभग 5 से.मी. व्यास का, सुगंधित, पत्तियों के कक्ष से निकलता है, जिसके अंदर अंगूरी लाल या लालपन लिए हुए कई बीज होते हैं।

चंपा के फूल से तेल निकलता है, जिसका उपयोग इत्र, केश तेल, इत्यादि बनाने में होता है। छाल से सत निकलता है। फूलों को उदर-शूल, मिचलाहट, ज्वर, वृक्क-संबंधित बिमारियों में तथा जड़ व छाल रेचक हेतु निदान के लिए दी जाती है। लकड़ी मजबूत होने के कारण खंभे, पटरे, सजावट के लिए फर्नीचर तथा जलयान बनाने में प्रयुक्त होती है।

चंपा के अंतर्गत सफेद फूल वाले प्रभेद को 'अल्बा' कहते हैं, जिसकी रूपरेखा पिरामिड की तरह होती है। पत्तियां पतली तथा गहरे रंग की होती हैं। इस प्रभेद के वृक्ष में फूल लंबे समय तक आते हैं लेकिन संख्या एक बार में मुख्य जाति की तुलना में कम ही होती है।

फूल मार्च में आने लगते हैं जो प्राय: वर्षभर आते रहते हैं। फल जुलाई-अक्टूबर में आते हैं। बीज द्वारा प्रसारण बहुत सुगमतापूर्वक किया जा सकता है, शाखाओं की कलम तथा हवाई-दाब द्वारा भी प्रसारण किया जाता है। पुष्प 3-4 वर्ष में ही आने लगते हैं। पौधे को किसी भी प्रकार की मृदा एवं जलवायु में बड़ी आसानी से लगाया जा सकता है लेकिन प्रचुर मात्रा में फूल प्राप्ति के लिए इसकी खेती अधिक उपजाऊ मृदा तथा सामान्य औसत तापक्रम व नम वातावरण में करना वांछनीय है। सड़क के किनारे वृक्ष को 5-10 मीटर की दूरी पर लगाना चाहिए।

पीला गुलमोहर

अंग्रेजी में कॉपर पॉड, रस्टी शील्ड बियरर, यलो फ्लेम ट्री, यलो गोल्ड मोहर, ब्राजीलेक्ट्रो वुड कहते हैं। प्रादेशिक भाषाओं में अरुण ज्योति, राधा चुरा (बंगाली); कोन्डाचिनीटा (तेलुगु), इंवाल्वागाई पेरूंगोडार्राइ (तमिल) कहते हैं। इसका वनस्पतिक नाम पेल्टीफोरुम टेरोकार्पम या पेल्टीफोरुम इनर्मी या पेल्टीफोरुम फेरुजीनिय है।

'पेल्टीफोरुम' ग्रीक भाषा के 'पेल्टे' पर आधारित है जिसका अर्थ ढाल है। 'फोरोस' से तात्पर्य ढाल के आकार की वर्तिका से है तथा टेरोकार्पम का तात्पर्य ढाल की तरह के फल से है।

पर्णपाती वृक्ष, 10-15 मीटर ऊंचा होता है। छाल—चिकनी व भूरे रंग की, शाखाएं—लंबी तथा आच्छादन घना होता है। पत्तीयां—पंखदार, पत्रक छोटे व हरे रंग के होते हैं; पुष्प— पीले रंग के, बड़े, संयुक्त, रेसीम के समूह में छोटी-छोटी शाखाओं के शीर्ष पर निकलते हैं, फलियां— कसकुट रंग की तथा बीज—एकल, चौड़े, पंखदार होते हैं।

इसका मूल स्थान श्रीलंका, अंडमान, मलाया द्वीप समूह तथा उत्तरी आस्ट्रेलिया है। यह बहुतायत से भारत के उद्यानों, उपवनों, सड़कों के किनारे, सघन छाया तथा सुनहले पीले सुंदर पुष्प एवं ताम्र-रंग के फल हेतु बहुलता से लगाया जाता है। पुष्प मार्च-मई, सितंबर-नवंबर एवं फल जून-दिसंबर तक आते हैं लेकिन फल अगले वर्ष फूल आने तक वृक्ष पर लगे रहते हैं।

पौध का प्रसारण बीज तथा तने की कलम द्वारा किया जाता है। बीज द्वारा तैयार वृक्ष में फूल प्रायः तीन वर्ष बाद आने लगते हैं। यह शुष्क तथा आर्द्र स्थानों पर मात्र थोड़ी ही देख-रेख में लगाया जाता है। मूल कांड के नीचे से निकली हुई शाखाओं को पृथक कर देने से वृक्ष का मुख्य तना सुडौल व सुंदर दिखने लगता है।

लकड़ियों से पटरे, साज-सज्जा के सामान, रेलगाड़ी के पटरे तथा छाल से छाल-सत प्राप्त होता है।

पलास

उत्तर व पूर्व भारत में पलास को 'ढाक' भी कहते हैं। संस्कृत में पलासा, अन्य प्रादेशिक भाषाओं जैसे गुजराती में खावरा; तेलुगु में मोडुगा; तमिल में कट्टामुरुक्कु, परासा; कन्नड़ में मट्टुगा, मलयालम में ब्रह्मवृक्षम्, पालासी, समथा कहते हैं। अंग्रेजी में फ्लेम ऑफ द फारेस्ट तथा पैरोट ट्री कहा जाता है। इसका वनस्पतिक नाम बुटीया मोनोस्पर्मा या बुटिआ फ्रॉन्डोसा है, यह मटर कुल फाबेसी का पौधा है।

'बुटिया' एक वनस्पतिज्ञ जॉन स्टुआर्ट, पर्ल आफ बुटे, के नाम पर रखा गया। 'मोनोस्पर्मा' का ग्रीक अर्थ 'एकल बीज' तथा 'फ्रॉन्डोसा' का लैटिन अर्थ 'पत्तियों से ढका हुआ' होता है।

यह मुख्यता भारत के सभी भागों, प्रायः गर्म क्षेत्रों, हिमालय के 900 मीटर ऊंचाई तक तथा दक्षिण के पठारी भाग में लगभग 1200 मीटर की ऊंचाई तक पाया जाता है। यद्यपि यह उद्यान का पौधा नहीं है फिर भी कभी-कभी सुंदर नयनाभिराम व अलंकृत पुष्प हेतु उद्यानों में लगाया जाता है।

वृक्ष 10-15 मीटर ऊंचा, मुख्य तना—खुरदरा, हल्का भूरे रंग का, पत्तियां—त्री-फलक, रोमिल, चौड़ी व हरे रंग की तथा मध्य वृंत पर लगी होती हैं, जो शीत ऋतु में गिर जाती हैं। पुष्प—बड़े, पीले, नारंगी, अंगूरी-लाल, गहरे नारंगी, कई प्रकार के मिश्रण में तथा यदा-कदा सफेद रंग के भी दिखाई पड़ते हैं। वृक्ष पर्णपाती अवस्था से निकलकर सुंदर परिदृश्य/छटा बिखेरने के कारण ही अपने नाम के अनुरूप 'फ्लेम ऑफ द फारेस्ट' यानि जंगल में आग लगने के दृश्य को चरितार्थ करते हैं। फूल फरवरी-अप्रैल में आते हैं तथा लगभग एक माह तक खिले रहते हैं। फल मई-जून में आते हैं। इसका प्रसारण बीज द्वारा होता है।

वृक्ष का प्रत्येक भाग आर्थिक एवं औषधीय महत्व का होता है। पत्तियों से खाने की थालियां, छाता; पुष्प से पीला रंग; जड़ की छाल से कमजोर रस्सी; छाल से गोंद (बंगाल किनो) निकलता है, जिसका प्रयोग अतिसार में होता है। लकड़ी का गूदा अखबारी कागज बनाने के काम आता है। वृक्ष पर लाख के कीड़े पाले जाते हैं।

वृक्ष हिन्दुओं में पवित्र माना जाता है। लकड़ियों का उपयोग हवन तथा उपनयन संस्कार में किया जाता है। पत्तियों के मध्य फलक का संबंध विष्णु, बाएं फलक का संबंध ब्रह्मा, तथा दाहिने फलक का संबंध शिव से माना जाता है। पुष्प का वर्णन लोकगीतों में भी मिलता है। यह पूजा हेतु तथा बौद्ध अनुयायिओं/धर्मावलंबियों द्वारा विशेष रूप से पसंद किया जाता है। महान कवि अमीर खुसरो, तुर्कमान तथा नोबल पुरस्कार विजेता रविन्द्रनाथ टैगोर द्वारा फूलों की सराहना उनकी कविताओं में उत्कृष्ट ढंग से वर्णित है।

जहां पौध की आवश्यकता होती है, बीज की यथास्थान सीधे बुवाई करते हैं। बीज को ह्यूमस मृदा में ढक देते हैं जो 7-15 दिन बाद अंकुरित हो जाते हैं। पौधशाला में बीज की 10 से.मी. X 10 से.मी. की दूरी पर बुवाई करते हैं तथा पौध को 10-15 मी. की दूरी पर रोपित करते हैं। साधारणतया थोड़े ही रख-रखाव तथा सामान्य खाद डालने से भी पौध लगाई जा सकती है। सूखी, सड़ी हुई, अनियंत्रित तथा अशोभनीय शाखाओं का कृंतन कर अलग कर देना चाहिए।

पौधे का विकास धीरे-धीरे होने के कारण इसे सूखी तथा अनुर्वरा भूमि में भी लगाया जा सकता है। यह जल-जमाव, अम्लीय, क्षारीय तथा दलदली, अनुपयोगी, जलनिकास रहित भूमि में भी लगाया जा सकता है। गेहाम सूंडी लकड़ी को क्षति पहुंचाती है। रुग्ण तथा सूखे पौधों को यथाशीघ्र निकालकर नष्ट कर देना चाहिए।

गुलमोहर

गुलमोहर को गोल्डमोहर भी कहते हैं। अन्य भारतीय प्रादेशिक भाषाओं जैसे बंगाली में चुरा, गोलमोहर; तेलुगु में एट्टाटुरायी वद्नारायण, शीमा सान्केसुला; तमिल में मयूरग, माइरक्कोन्डराई एवं कन्नड़ में डोड्डारन्नगंधी कहते हैं। सामान्य अंग्रेजी भाषा में पीकाक फ्लावर, गोल्डमोहर, फ्लेम ट्री तथा फ्लेम ब्यायआंट कहते हैं।

गुलमोहर शब्द की उत्पत्ति गोल्डमोहर के अपभ्रंश से हुई है। 'गुल' शब्द गुलाब के पुष्प से, 'मोर' नाम राष्ट्रीय पक्षी मोर से तथा 'मोहर' शब्द से तात्पर्य प्राचीन भारतीय सिक्के—*मुहर* से है।

इसका वनस्पतिक नाम डेलोनिक्स रेज़िआ है, जो सीसालपिनेसी कुल के अंतर्गत आता है। 'डेलोनिक्स' ग्रीक भाषा के शब्द 'डेलोस' अर्थात स्पष्ट अथवा प्रत्यक्ष, 'ओनिक्स' कांटा निकालने वाला हथौड़ा तथा रेजिआ का लैटिन अर्थ रॉयल है, जिसका मूल तात्पर्य पुष्प का अद्भुत एवं विलक्षण व रमणीय दृश्य से है।

वृक्ष मध्यम आकार का 10-15 मी. ऊंचा पर्णपाती होता है; मूलकांड— भूरा व चिकना; शाखाएं लंबी एवं बाहर की ओर फैली होती हैं तथा छातानुमा या गुम्बदाकार छत्रक के रूप में दिखती हैं। पत्तियां — संयुक्त पत्ती, जिसमें असंख्य चिकने पत्रक होते हैं। पुष्प— 7-10 से.मी. व्यास के, दल— गहरे लाल या बैंगनी, लेकिन मात्र एक ऊपरी दल का रंग ऊपर की तरफ पीला या सफेद धारीदार होता है। फूल खिलने के समय वृक्ष पत्ती विहीन अवस्था में होता है। पुष्पों से लदा वृक्ष एक नयनाभिराम दृश्य प्रस्तुत करता है। फलियां चपटी, 40-60 से.मी. लंबी तथा 5-7 से.मी. चौड़ी होती हैं, जिनके अंदर कई लंबे बीज होते हैं। फलियां बहुत समय तक वृक्ष पर लटकती रहती हैं।

वृक्ष का बढ़ाव कम समय में होने के कारण पुष्प तीन वर्ष के अंदर ही आने लगते हैं। यह मूल रूप से मडागास्कर का पौधा है। यह उद्यान, पार्क तथा सड़कों के किनारे अपनी सुंदर, अलंकृत पत्तियों तथा पुष्प हेतु बहुतायत से लगाया जाता है। प्रसारण बीज द्वारा वर्षा ऋतु में करते हैं। बीज कठोर होने के कारण अंकुरण में लगभग दो वर्ष का समय लग जाता है, इसलिए बीज को कुछ समय के लिए गर्म पानी में डुबो कर बुवाई करनी चाहिए। तने के कृंतन से भी प्रसारण संभव है, 1-2 मी. लंबे तने को गाड़ कर भी पौध तैयार की जाती है। इस वृक्ष को किसी भी प्रकार की हल्की मृदा जिसमें उर्वरा शक्ति कम हो लगा सकते हैं। इसको गर्म तथा नम जलवायु में जहां पर जल निकास की उचित व्यवस्था हो, सुगमतापूर्वक लगाया जा सकता है।

शाखाएं कमजोर होती हैं जो तेज हवा के झोंकों में टूट जाती हैं। जड़ों का विकास अधिक नीचे तक नहीं होने के कारण वृक्षों का आधार कमजोर होता है तथा घास व अन्य पौधे नीचे नहीं उग पाते। वृक्ष पर किसी बीमारी व कीट का कुप्रभाव नहीं देखा गया है। बीज से प्राप्त गोंद का उपयोग खाने तथा कपड़ा-उद्योग में होता है।

गुलमोहर को अमलतास के साथ यथाक्रम सड़कों के किनारे लगाने से इसके चमकीले, गहरे लाल पुष्प के बाद अमलतास के सुनहरे-पीले पुष्प, पथिकों एवं दर्शकों को एक अति-सुंदर नयनाभिराम दृश्य की अनुभूति कराते हैं।

कैस्सिया

कैस्सिया एक बहुत बड़ा वंश है, इसके अंतर्गत लगभग 400 जातियों के शाक, झाड़ियां एवं वृक्ष हैं। कैस्सिया जाति के पुष्प बहुत आकर्षक पीले, गुलाबी या लाल रंगों में होते हैं। औषधीय गुणों के कारण इन्हें उद्यानों तथा उपवनों में सौंदर्यीकरण के लिए भी लगाया जाता है। इनके अंतर्गत पुष्पीय वृक्षों में अमलतास, हार्स या गुलाबी कैस्सिया, बर्मा की गुलाबी कैस्सिया, भारतीय लाल अमलतास, जावा कैस्सिया एवं झाड़ियों में दाद मर्दन एवं कुछ विशेष संकर जातियां प्रमुख हैं। कैस्सिया, सीसाल्पिनेसी कुल के अंतर्गत आता है।

अमलतास : अमलतास को अंग्रेजी में गोल्डन अमलतास, इंडियन लाबरनम, गोल्डन शावर, पुडिंग पाइप ट्री, पर्मिंग कैस्सिया या पर्मिंग फिस्चुला कहते हैं। इसको भारतीय भाषाओं में सुवर्णलता, राजातम् (संस्कृत), बांदर लाठी, सोंडाला या सोनाली (बंगाली), बाहवा (मराठी), भरमाला (गुजराती), कोन्नई (तमिल), रेला (तेलुगु) तथा कन्नड़ में काक्के कहते हैं। इसका वनस्पतिक नाम कैस्सिया फिस्चुला है।

कैस्सिया की उत्पत्ति प्राचीन नाम 'कोशिया' या 'काशिया' तथा लैटिन भाषा के 'काशिया' से हुई है, जबकि लैटिन में 'फिस्चुला' का अर्थ नली है, जो लंबे नली के समान फल को इंगित करता है।

यह भारत में गर्म प्रदेशों के सभी स्थानों विशेषकर पर्णपाती वनों में पाया जाता है। यह हिमालय के मैदानी भागों से लेकर लगभग 1000 मीटर की ऊंचाई तक पाया जाता है। इसको प्राय: उपवनों, उद्यानों तथा सड़कों के किनारे लगाया जाता है। इसके लंबे नीचे लटकते पुष्प, झुमके (स्वर्णाभूषण) की भांति अति सुंदर होते हैं। कर्नाटक में वृक्ष की शाखाएं मिट्टी में गाड़कर पूजा-अर्चना की जाती है। यह व्यापारियों के लिए व्यापार एवं सौभाग्य का प्रतीक है।

वृक्ष लगभग 10 मी. ऊंचा; छाल चिकनी, भूरे रंग की तथा शाखाएं अनियमित होती हैं। पत्तियां लंबी, हल्की हरी तथा पत्रक 3-8 होते हैं। पुष्प— सुनहरा पीला तथा सूखने पर हल्के पीले अथवा नीबू के रंग जैसा हो जाता है, जो लंबे झुके हुए रेसीम पर ऊपर से नीचे की ओर खिसककर विपरीत पिरामिड की तरह दिखाई देते हैं। फल— गोलाकार, वर्तुलाकार, बेलनाकार, 15-60 से.मी. लंबा, गोल, हरा, पकने पर काले-भूरे रंग का हो जाता है तथा अंदर 40-60 चमकीले बीज होते हैं। फलियां वृक्ष के ऊपर वर्ष के अधिकांश समय तक लटकते रहने के कारण अपनी एक निर्दिष्ट पहचान बनाए रखती हैं।

फूल प्राय: अप्रैल-जुलाई में, शीत ऋतु में पतझड़ के पश्चात आने लगते हैं तथा फल जून-जुलाई में पुष्प आने तक झूलते रहते हैं व वर्षा-ऋतु में गिरने लगते हैं।

बीज को मार्च-अप्रैल में मिट्टी के अंदर डालकर सिंचाई कर देते हैं। ताजे बीजों का जमाव कम तथा पुराने बीजों का अधिक समय में होता है। कभी-कभी वृक्षों पर पुरानी लटकती हुई (प्राय: दो वर्ष पुरानी) या जमीन पर पड़ी हुई फलियों के अंकुरण में भी अधिक समय लगता है। बीज को गर्म पानी अथवा सलफ्यूरिक एसिड में 2-5 मिनट तक भिगोने से बीज के कड़े छिलके मुलायम हो जाने से अंकुरण शीघ्रता से हो जाता है। वृक्ष सूखी एवं अनुपजाऊ भूमि में भी आसानी से लगाए जा सकते हैं। पौध विकास की गति कम होने के कारण संपूर्ण विकास में समय अधिक लगता है। पौधों को पशु नहीं खाते हैं। लकड़ियां मजबूत होने के कारण कई प्रकार के कृषि संबंधी सामान बनाए जाते हैं। औषधीय रूप से संपूर्ण पौधा रेचक है। पत्तियों के रस का प्रयोग चर्म रोग निवारण हेतु किया जाता है।

हार्स कैस्सिया या गुलाबी कैस्सिया : इसका वनस्पतिक नाम कैस्सिया ग्रॉन्डिस है। यह उष्ण कटिबंधीय अमेरिका तथा केरेबियन (केरेबियाई) द्वीप समूह का वृक्ष है जो भारत के उद्यानों, उपवनों तथा शहरों में इसके अतिसुंदर, नयनाभिराम पुष्पों के लिए लगाया जाता है।

यह एक पर्णपाती वृक्ष है जिसका मुख्य तना स्थूल तथा चिकना; शाखाएं भूरी, नीचे लटकती हुई चतुर्दिक फैलती हैं एवं संपूर्ण विकसित शिखर गोलाकार होता है। पत्तियां गहरे हरे रंग की होती हैं। शीर्षस्थ पत्तियों की नवीन कोपलें लाल छींटदार रंग की मखमली तथा 10-40 की संख्या में होती हैं, क्रमश: पतले पत्रक तथा दोनों किनारे गोल होते हैं। पुष्प शरद ऋतु में समूह में पत्तियां गिरने के बाद आते हैं। फलियां लगभग 8 से.मी. लंबी, गोल एवं तिरछी होती हैं जिसके अंदर कई बीज होते हैं। फूल फरवरी-मार्च तथा फल अप्रैल-सितंबर में आते हैं। फलियों का गूदा रेचक के रूप में प्रयुक्त होता है।

जावा कैस्सिया : इसका वनस्पतिक नाम *कैस्सिया जावानिका* है। जावानिका का अर्थ जावा देश से है, जो इसका मूल स्थान का प्रतीक है। यह उष्ण कटिबंधीय देशों, मलेशिया तथा इंडोनेशिया का पौधा है। इसे भारतीय उद्यानों, उपवनों, सड़कों के किनारे इसके सुंदर अलंकृत व चमकीले गुलाबी फूलों के कारण लगाया जाता है।

यह मध्यम ऊंचाई का वृक्ष है जिसकी शाखाएं फैली हुई एवं आच्छादन छातानुमा होता है। पत्तियां समपिछिकी, 30 से.मी. लंबी तथा पत्रक आयताकार, कुंठाग्र, चौड़े व हरे होते हैं। पुष्प सीधी व छोटी–छोटी शाखाओं में गिरी हुई पत्तियों के स्थान से निकलते हैं। पुतंतु के मध्य भाग में अंडाकार सूजन होती है। फलियां— वर्तुलाकार लगभग 50 से.मी. लंबी, 2 से.मी. व्यास की, बाह्य भाग गहरे भूरे रंग का तथा चिकना होता है। फूल अप्रैल–मई में खिलते हैं।

प्रसारण बीज द्वारा आसानी से होता है। बीज को पालीथीन के थैले में बुआई करके वर्षा ऋतु में रोपित करते हैं। पौधे छायाप्रेमी होने के कारण इन्हें बड़े वृक्षों के नीचे समूह में लगाना उचित होता है।

बर्मा की गुलाबी कैस्सिया : इसका वनस्पतिक नाम कैस्सिया रेनिजेरा तथा इसका मूल स्थान म्यांमार (बर्मा) है। इसे बहुतायात से भारत के उपवनों तथा उद्यानों में इसके सुंदर–रमणीय, गुलाबी तथा सुगंधित पुष्प हेतु लगाया जाता है। पुष्प गुच्छों के मध्य स्थित कोपलें वृक्ष की शोभा में चार चांद लगा देती हैं। समस्त कैस्सिया प्रजाति में इसे सबसे सुंदर माना जाता है। वृक्ष का बढ़ाव तीव्र गति से होता है। वृक्ष 7 मीटर ऊंचा; मूलकांड छोटा; छिलका भूरा तथा कांड के ऊपर काग की तरह बहुत उभार रहता है। पत्तियां रोमिल, पत्रक 3–20 तथा युग्म में, आयताकार, वृक्काकार पत्तियों के आधार पर संलग्न रहते हैं। पुष्प पत्ती विहिन शाखाओं पर गुच्छों में निकलते हैं। कलियां वर्तुलाकार, चिकनी, 30–60 से.मी. तक लंबी एवं काले रंग की होती हैं। फूल अप्रैल–मई के बीच खिलते हैं। प्रसारण बीज द्वारा आसानी से होता है। सूखी जलवायु के साथ–साथ अनुपजाऊ भूमि में भी पौधों का विकास ठीक होता है व फूल बहुतायत से आते हैं।

भारतीय लाल अमलतास : इसे लाल कैस्सिया या सिलोनसेन्ना कहते हैं। इसका वनस्पतिक नाम कैस्सिया रॉक्सबर्गी या कैस्सिया मार्जीनाटा है। मार्जीनाटा का लैटिन अर्थ 'स्पष्ट रूप से' पर्णफलक के किनारे थोड़ी सूजन से होता है। इसका मूल स्थान दक्षिणी भारत एवं श्रीलंका है। वृक्षों को सड़कों के किनारे, उद्यानों में, समूहों में छातानुमा आच्छादन के लिए तथा अति सुंदर नारंगी–लाल या टेराकोटा रंग के पुष्पों के लिए लगाते हैं। पत्तियां 15–30 से.मी. लंबी; पत्रक 10–15, लगभग 2.5 से.मी. लंबे, आयताकार तथा चमकीले, गर्ती, किनारा हल्का उभरा हुआ होता है। असंख्य छोटे पुष्प रेसीम के छोटे कक्ष में लगते हैं। सहपत्र अपाती; दल शिरा विहीन; फलियां बेलनाकार सीधी तथा चिकनी एवं लगभग 20–30 से.मी. लंबी होती हैं।

पुष्प जून-सितंबर तथा फल सितंबर-मार्च तक आते हैं। प्रसारण बीज द्वारा आसानी से हो जाता है। वृक्ष उष्ण एवं सूखी जलवायु में भी उपयुक्त रहता है।

झाड़ीनुमा कैस्सिया के अंतर्गत प्रमुख शोभनीय पुष्प जातियों में दादमर्दन प्रमुख है, जो जंगलों में अथवा सामान्य रूप से पाई जाती है। इसे रिंगवार्म कैस्सिया या कैन्डिल बुश कहते हैं। इसका वनस्पतिक नाम *कैस्सिया अलाटा* है। इसे बंगाली में दादमारी कहा जाता है। यह झाड़ीनुमा, अतिशीघ्र बढ़ने वाला पौधा है। शाखाएं सीधी व पत्तियां चमकीली तथा सुंदर होती हैं। पत्तियां 30 से.मी. से एक मीटर तक लंबी; पत्रक 16-24, चौड़े, अंडाकार व आयताकार होते हैं। पुष्प सुनहला-पीला, मोमबत्ती की तरह, बड़े स्पाइक में; सहपत्र रेसीम के अंदर होता है। फली चौड़ी, 10-15 से.मी. लंबी होती है तथा अंदर कई छोटे-छोटे बीज होते हैं।

इसका मूल स्थान वेस्टइंडीज है। यह प्रायः कहीं भी उग आता है तथा साथ ही उद्यान में भी लगाया जाता है। पुष्प अप्रैल-दिसंबर तक आते हैं। बीज का अंकुरण बहुत आसानी से होता है। फल तथा फूल एक वर्ष के मध्य ही आने लगते हैं। पत्तियों को पीसकर दाद पर लगाने से लाभ होता है।

इसके अतिरिक्त *कैस्सिया बाइफ्लोरा* मूल स्थान दक्षिण अमेरिका, वेस्टइंडीज, झाड़ी, पुष्प पीला व सुंदर; *कैस्सिया फ्लॉरीबन्डा,* झाड़ी व पुष्प पीला; ब्रांज-शावर-ट्री, कैस्सिया मॉस्काटा मूल स्थान उष्ण कटिबंधीय अमेरिका, वृक्ष ऊंचा, पुष्प पीला, परिवर्तित होकर ईंट की तरह लाल; पिंक कैस्सिया या गोल्ड मोहर कैस्सिया, नोडोसा मूल स्थान बांग्लादेश, अंडमान, मलाया प्रायद्वीप व इंडोनेशिया, वृक्ष, पुष्प गुलाबी; *सेन्ना मल्टीजुगा* मूल स्थान उष्ण कटिबंधीय अमेरिका, बड़ी झाड़ी या छोटा वृक्ष, पुष्प पीला, आकर्षक; *सेन्ना सीआमिआ* मूल स्थान म्यांमार, मलेशिया, मध्यम आकार का सदाबहार वृक्ष, पुष्प पीला तथा *सेन्ना सुराट्टेन्सिस* मूल स्थान भारत, झाड़ी या छोटा वृक्ष, पुष्प पीले; कैस्सिया जाति की कुछ अन्य झाड़ियां हैं, जिन्हें प्रमुख रूप से भारतीय उद्यानों में लगाया जाता है। कैस्सिया वंश की कुछ जातियों को *सैन्ना वंश* में वनस्पतिक दृष्टिकोण से कर दिया गया है।

अलंकृत पुष्पों की संकर प्रजातियों में *कैस्सिया हाइब्रिडा* वृक्ष छोटा, लगभग चार मीटर ऊंचा; पत्तियां आयताकार व दीर्घाकार, 3-4 से.मी. लंबी; पुष्प हल्का गुलाबी, परिवर्तित होकर सफेद हो जाता है तथा *कैस्सिया लांकेस्टरी,* जिसका नाम प्रमुख उद्यान-प्रेमी, पर्सीलांकास्टर के नाम पर दिया गया है, शामिल हैं। इसका वृक्ष 5-8 मीटर ऊंचा; शाखाएं छातानुमा तथा पुष्प समस्त कैस्सिया जातियों में बड़े, गहरे लाल रंग के होते हैं जो परिवर्तित होकर गुलाबी रंग के हो जाते हैं।

अशोक पुष्प

अशोक वृक्ष

बोतल ब्रश–पुष्प

बोतल ब्रश (पौलेंड)–पुष्प

चंपा – पुष्प तथा फल

चंपा – प्रभेद अल्बा

पीला गुलमोहर – वृक्ष

पीला गुलमोहर – पुष्प

पीला गुलमोहर – फल

पलास – वृक्ष

पलास – पूर्णरूपेण खिले पुष्प

पलास – पुष्प

पलास – फल

गुलमोहर – पुष्पों से आच्छादित वृक्ष

गुलमोहर – पुष्प

अमलतास – वृक्ष, फूल तथा फल

भारतीय अमलतास

दादमर्दन कैस्सिया – फूल तथा फल

गुलाबी कैस्सिया

जावा कैस्सिया

बर्मा की गुलाबी कैस्सिया

लाल कैस्सिया

डाडप

काकस्पर डाडप

ब्लाकीआई डाडप

नागकेशर – फल तथा फूल

सफेद चंपा (फ्रांगीपानी)

लाल गुलंची – वृक्ष

लाल गुलंची – प्रारूप रुब्रा फॉर्मा (द्विरंगी)

पीली प्लुमेरिया – वृक्ष

फ्रांगीपानी (प्लुमेरिया ल्यूटी) – पुष्प

फ्रांगीपानी (प्लुमेरिया अब्टुसा) – पुष्प

फ्रांगीपानी (प्लुमेरिया अब्टुसा)

सेमल – वृक्ष

सेमल –पुष्प

सेमल – फल

पवित्र बर्ना – पुष्पों से आच्छादित वृक्ष

पवित्र बर्ना –पुष्प

पारस पीपल –पुष्प तथा वृक्ष

पारस पीपल –पुष्प

गलगल – वृक्ष

गलगल – पुष्प

डाडप

डाडप को हिन्दी में परांगा, मंदारा, पानजीरा, फोराड भी कहते हैं। अन्य भारतीय भाषाओं में इसे संस्कृत में पारीजात, मंदार; बंगाली में पालीता मंदार, रक्त मंदार; मराठी में पंगारा, मदार; गुजराती में बंगारू; तेलुगु में बारीगानु, बुदिसा, मोड्डुगो; तमिल में कल्याण गुरुक्कु; कन्नड़ में वारिपेट्टारिवाना तथा मलयालम में कल्याना मुरुक्कु, मांदरम् कहते हैं। इसका वनस्पतिक नाम *इरीथ्रिना वैरीयागाटा* या *इरीथ्रिना इंडिका* है, जो फाबेसी कुल के अंतर्गत आता है। 'इरीथ्रिना' की उत्पत्ति ग्रीक शब्द 'इरीथ्रोस' अर्थात लाल रंग का पुष्प, 'वैरीयागाटा' अर्थात चित्तीदार पत्तियां तथा 'इंडिका' इसके मूल स्थान (भारत) से हुई है।

भारत के प्राय: सभी प्रदेशों, हिमालय की तलहटी से लेकर दक्षिण भारत तक यह पाया जाता है तथा इसकी खेती सर्वत्र की जाती है। भारतीय लोकोक्तियों के अनुसार देवराज 'इंद्र' के नंदनवन में इस वृक्ष के खिले पुष्प को 'कृष्ण' की दो रानियां—रुक्मिणी तथा सत्यभामा द्वारा अपने-अपने पास होने के विवाद के कारण, श्रीकृष्ण ने बड़ी ही चतुराई से उनके उद्यान से चोरी कर लिया था। पत्तियों के तीन-पत्रक हिंदुओं के त्रिमूर्ति देवता— ब्रह्मा, विष्णु एवं शिव का प्रतिरूप माने जाते हैं।

वृक्ष पर्णपाती, मध्यम आकार का, 8-15 मीटर ऊंचा; छाल चमकीली, चिकनी, पीली अथवा हरे रंग की जो कागज की भांति पपड़ी की तरह निकलती है; कई सीधी कांटेदार शाखाएं, जिन पर तिकोने व काले कांटे होते हैं।

पत्तियां गहरे हरे रंग की या कभी-कभी चित्तीदार, गोल; तीन-पत्रक, शीर्ष भाग हल्का नुकीला होता है। फूल गहरे लाल रंग या अंगूरी लाल रंग के होते हैं तथा चोंचनुमा शाखाओं के शीर्ष छोर पर एक समूह में पत्ती विहीन अवस्था में निकलते हैं। पुष्प अति सुंदर व रमणीय, अपने चमकीले रंगों के कारण बहुत ही सुंदर लगते हैं। फलियां बड़ी, लंबी, दोनों शीर्ष पर पतली, माला के दाने के आकार की होती है तथा इसके अंदर 6-8 अंडाकार-चिकने बीज होते हैं। फलियां लंबे समय तक वृक्ष के ऊपर लटकी रहती हैं। पुष्प फरवरी-मार्च तथा फल अप्रैल-सितंबर तक आते हैं।

पौध का प्रसारण बीज द्वारा तथा 1-1.5 मी. लंबे तथा कम-से-कम 30 से.मी. व्यास के तनों द्वारा वांछित स्थानों पर सीधे किया जाता है। थोड़ी ही देख-रेख, यदा-कदा सिंचाई व निराई-गुड़ाई से फूल दो वर्ष के अंदर ही आने लगते हैं। वृक्ष की सुंदरता एवं समुचित विकास के लिए शाखाओं का कृंतन समयानुसार आवश्यक होता है। इसे सामान्यता उद्यानों में सुंदर, चमकीले व भड़कीले पुष्पों के लिए सड़कों के किनारे, हवा अवरोधक के रूप में तथा कांटेदार बाड़ के रूप में गांवों में खेतों के किनारे लगाते हैं।

पुष्पीय सुंदरता के अतिरिक्त इस वृक्ष का आर्थिक महत्व भी है। तने की छाल से रस्सी बनती है। पत्तियां, जानवरों को खिलाने एवं हरी खाद के रूप में प्रयोग की जाती हैं। तने का प्रयोग बाड़ के रूप में तथा लता व वल्लरी को आधार देने के लिए किया जाता है। पत्तियां रेचक के रूप में दी जाती हैं, तने से कागज की लुगदी बनाई जाती है तथा ताजे बीजों को उबालकर, भूनकर खाया जाता है। इसकी दो प्रमुख जातियां भारतीय उद्यानों एवं उपवनों में लगायी जाती हैं।

क्रीस्टा-गल्ली डाडपः इसे कॉक्स्पर कोरल ट्री या *इरीथ्रिना क्रिस्टा-गल्ली* कहते हैं। इस वृक्ष का मूलकांड छोटा तथा शाखाएं कंटीली होती हैं। पुष्प सुंदर, लाल, लोहित रंग के होते हैं, जो फरवरी-मार्च में आते हैं। फूल आने के बाद शाखाएं सूख जाती हैं। प्रसारण कलम तथा अंटा बांधकर किया जाता है। इसका मूल स्थान ब्राज़ील है लेकिन भारत के कई उद्यानों में बड़ी ही सफलतापूर्वक लगाया जाता है। सुंदर व बड़े पुष्पों के लिए सूखी व रुग्ण शाखाओं को काटकर निकाल देना चाहिए।

ब्लाकी आई डाडपः ब्लाकी आई डाडप का वनस्पतिक नाम *इरीथ्रिना ब्लाकी आई* है। यह एक छोटा, संकर प्रजाति का वृक्ष है। अंगूरी लाल अथवा गहरे लाल रंग के सुंदर व मनमोहक पुष्प अप्रैल-मई में आते हैं। यह मुख्यतया उत्तरी भारत के उद्यानों में लगाया जाता है। इसका प्रसारण अंटा बांधकर किया जाता है।

नागकेशर

नागकेशर को नागचंपा भी कहते हैं। इसे बंगाली में नागचंपा, नागेश्वर; असमी में नाहर, डियेंग-अंगायी; मराठी व गुजराती में नागचंपा, नांगु; तमिल में नागाचंपाकानु; कन्नड़ में नागासांपिगे; तेलुगु में नागकेशरा; अंडामानी में गांगाने तथा मलयालम में वेल्लुशापाल कहते है। इसका वनस्पतिक नाम *मेसुआ फेरिआ* है जो गार्सीनिया कुल-क्लुसियेसी या गुट्टीफेरी के अंतर्गत आता है। 'मेसुआ' नाम अरब के एक ख्यातिलब्ध चिकित्सक तथा वनस्पतिज्ञ जोआतेस गेसु की प्रतिष्ठा में दिया गया है तथा 'फेरिआ' का तात्पर्य नयी पत्तियों के मोर्चिले रंग से है।

इस पौधे का मूल स्थान भारत व मलाया है। यह अधिकतर पूर्वी तथा पश्चिमी पठारी भाग तथा पूर्वी हिमालय की पर्वतमालाओं के नीचे बंगाल के निचले भाग, असम तथा अंडमान द्वीप समूह में पाया जाता है। यह सामान्य रूप से जंगलों में अपने प्राकृतिकवास में पाया जाता है, साधारणतया उद्यानों व उपवनों में कम संख्या में ही लगाया

जाता है। इसकी खेती मुख्यतया वनस्पतिक उद्यानों व विशिष्ट उद्यानों में इसके चमकीले, छायादार, सुंदर सज्जाकार रूप तथा मैग्नोलीआ की तरह सुगंधित व मनमोहक पुष्प हेतु की जाती है।

वृक्ष सदाबहार, मध्यम ऊंचाई का 15 मी. तक ऊंचा; छाल, चिकनी तथा गहरी भूरी; पत्तियां छोटी, युग्म में वितरित, चर्मिल, भालाकार, चमकदार, ऊपर की तरफ चिकनी हरी एवं नीचे की तरफ सफेद होती हैं; कोपलें चमकदार लाल व मुलायम तथा गहरे हरे रंग की होकर कड़ी हो जाती हैं। पुष्प बड़े, सफेद; पंखुड़ियां चार, 4–6 से.मी. व्यास में; पुंकेसर कई, सूत्राकार, पीले तथा मध्य भाग में एक समूह में रहकर मधुर सुगंध फैलाते हैं। फल अंडाकार, नुकीला, अंदर 1–4 की संख्या में कड़े एवं गहरे भूरे रंग के बीज होते हैं। पुष्प फरवरी–मई तथा फल मई–अक्टूबर तक आते हैं।

पौध तैयार करने के लिए ताजे बीज की यथा स्थान बुवाई करते हैं। रोपित पौधों को बहुत ही कम संख्या में बचाया जा सकता है। पॉलिथीन की थैली में ह्यूमस मृदा के अंदर तैयार पौध को अन्य स्थानों पर सुगमतापूर्वक रोपित किया जा सकता है। पौधों का समुचित विकास हल्की मृदा, अर्ध–छायादार स्थानों तथा नम जलवायु में आसानी से होता है। पौधे को धूप में लगाने पर उचित छाया की आवश्यकता पड़ती है। प्रायः पौधे का विकास कम गति से होता है।

इसकी काष्ट टिकाऊ होने के कारण कृषि उपकरण, रेल की पट्टियां, वाद्य यंत्र, इत्यादि बनाने में उपयोगी है। बीज से तेल निकलता है जो जलाने, चिकनाई के रूप में एवं साबुन उद्योग में प्रयुक्त होता है। पुष्प की कलियां अतिसार तथा पुष्प खांसी के उपचार में दिया जाता है। वृक्ष हिंदुओं द्वारा पवित्र माना जाता है।

प्लुमेरिया या फ्रांगीपानी

प्लुमेरिया या फ्रांगीपानी झाड़ी या छोटा वृक्ष है। इसका वनस्पतिक नाम प्लुमेरिया तथा कुल एगी–साइनेसी है। यह उष्ण कटिबंधीय अमेरिका का पौधा है। इसका नाम चार्ल्स प्लुमियेर (1646–1704) के नाम पर रखा गया है, जो एक संन्यासी तथा फ्रांसीसी वनस्पतिज्ञ थे। उन्होंने पौधों के वर्गीकरण के अध्ययन हेतु अमेरिका में भ्रमण किया था।

सामान्यतया इस पौधे को उद्यानों, मंदिर–प्रांगण में इसके मधुर, सुगंधित एवं रमणीय पुष्प हेतु लगाया जाता है। इसकी मोटी तथा मुलायम शाखाओं से सफेद दूध जैसा तरल द्रव निकलता है। पत्तियां पतली, सर्पिलाकार होती हैं। शाखाओं के शीर्ष भाग पर तथा नीचे

की तरफ शिराएं विशेषरूप से उभरी होती हैं। गिरी हुई पत्तियों के स्थान पर गहरा चिह्न रहता है। पुष्प पर्णपाती अवस्था में समूह में आते हैं जो पांच पालियुक्त, नालवत आधार पर संयुक्त तथा कई रंगों के मिश्रण में होते हैं।

फल बड़े, लंबे, जुड़वां तथा नीचे की तरफ संयुक्त होते हैं जिसके अंदर कई चपटे बीज होते हैं। पुष्प प्रायः वर्षभर आते हैं। प्रसारण शाखाओं की कलम तथा अंटा विधि द्वारा किया जाता है। प्लुमेरिया की निम्न प्रमुख जातियां उद्यान-प्रेमियों द्वारा लगाई जाती हैं।

सफेद चंपा, सफेद काठ चंपा अथवा सफेद फ्रांगीपानी: इसको भारतीय भाषाओं में वेगवी वाराचालु (तेलुगु), पेरुमल अराली, सीमाई अरारा (तमिल) तथा वेला चंपकम् (मलयालम) कहते हैं। इसका वनस्पतिक नाम *प्लुमेरिया अल्बा* है।

यह लगभग 5 मी. लंबा वृक्ष है, जिसकी छाल चिकनी व भूरे रंग की होती है। पत्तियां कड़ी, कुरकुरी, नोक की तरफ गोलाकार, ऊपर की तरफ चिकनी, नीचे रोमिल तथा किनारे की ओर नीचे मुड़ी हुई होती हैं। फूल लगभग पूरा सफेद या मध्य में पीलापन लिए हुए अति सुगंधित तथा पंखुड़ियां गोलाकार होती हैं। फूल फरवरी-मार्च तथा फल अप्रैल-जून में आते हैं।

वृक्ष का मूल स्थान वेस्टइंडीज है। इसे पार्क, उद्यान तथा मंदिर के प्रांगण में इसकी सुंदर पत्तियों एवं सुगंधित पुष्प हेतु लगाते हैं। प्रायः पत्तियां वर्षभर वृक्ष पर लगी रहती हैं।

इसके फल खाए जाते हैं। दूध का प्रयोग पुराने फोड़े, चर्मरोग; उत्तेजक, रेचक (दस्तावर), दाद, गठिया के दर्द तथा मसूढ़ों की बिमारियों में किया जाता है।

लाल गुलंची, गोबर चंपा, लाल गुलाचीन, खैरा चंपा या सोन चंपा: इसको अंग्रेजी में क्रिसमम टेंपल ट्री, रेड फ्रांगीपानी, रेड जैस्मिन ट्री, टेंपल या पगोडा ट्री भी कहते हैं। भारतीय भाषाओं में खीरा चंपा (संस्कृत); लाल गुलांचा, लाल गारुर चंपा, लाल काठ चंपा, दालन फुल (बंगाली); काठ चंपा, गुलंची (उड़िया); खैर चंपा, सोन चंपा (मराठी); राधा चंपा (गुजराती); नुरु वॉराहुल (तेलुगु); अरली, काल्की गांधाराई (तमिल) तथा मलयालम में अरली, देवा मांगिले, एजहा चंपकम् कहते हैं। इसका वनस्पतिक नाम *प्लुमेरिया रुब्रा* है।

यह एक झाड़ी अथवा छोटा, 3-8 मी. ऊंचा वृक्ष होता है, शाखाएं मोटी व असानीपूर्वक टूटने वाली; छाल मोटी, चिकनी, भूरे रंग की चमकीली व छोटी पतली परत में छिलके बाहर निकलते हैं। पत्तियां मोटी, लंबी, चौड़ी व नुकीली तथा चमकीले हरे रंग की तथा शिराएं ऊभरी होती हैं। फूल शीर्षस्थ समूह में बैंगनी, लाल-गुलाबी या लोहित रंग या सफेद अथवा पीलापन लिए हुए अत्यधिक मनोहर व सुगंधित होने के कारण लगाए जाते हैं। फूल नीचे गिरने पर एक नयनाभिराम दृश्य प्रस्तुत करते हैं।

पुष्प फरवरी–अक्टूबर में प्रचुरता से आते हैं। शीतऋतु में इनकी संख्या कम रहती है तथा फल जुलाई–अक्टूबर में आते हैं। पौध प्रसारण तने की कलम एवं अंटा बांधकर करते हैं।

पत्तियों को सूजन के ऊपर दर्द से राहत के लिए बांधते हैं। दूध को गठिया या जोड़ों के दर्द तथा दांत के दर्द में लगाते हैं। जड़ रेचक के रूप में तथा मूत्र–रोग में प्रयुक्त होती है। लकड़ियों से ढोलक तथा अन्य वाद्ययंत्र बनाए जाते हैं।

इसकी कई प्रजातियां, रंग के आधार पर– रुब्रा फार्मा 'बाई कलर' (द्विरंगी) एवं फार्मा 'ट्राइकलर' (तिरंगी) उद्यान में लगाई जाती हैं।

पीली प्लुमेरियाः इसे वनस्पतिशास्त्र में प्लुमेरिया लुटीआ कहते हैं। इसका पुष्प पीला, कभी–कभी ऊपरी भाग सफेद, ऊपरी सतह गुलाबी अथवा हल्के गुलाबी रंग की होती है।

प्लुमेरिया आब्टुसा : पत्तियां अभिअंडाकार तथा ऊपरी छोर गोलाकार, गहरे हरे रंग की तथा चिकनी होती हैं; दल चमच्याकार, सफेद तथा भीतर की तरफ पीलापन लिए होते हैं।

सेमल

सेमल या सेमुल को संस्कृत में साल्मली अथवा रक्त पुष्पा तथा अन्य भारतीय भाषाओं जैसे बंगाली में कंटक द्रुमा, खतोसिमूल; उड़िया में बाउरो; गुजराती में सावर या सिमलो; तेलुगु व कन्नड़ में बोरूगा; तमिल में मुल्ली लावा इल्लावम तथा मलयालम में मुल्लीलावन कहते हैं। इसका अंग्रेजी में सामान्य नाम रेड सिल्क कॉटन ट्री तथा वनस्पतिक नाम बाम्बैक्स सीबा या सालमालिया मालाबारिका है, जो बाम्बाकेसी कुल के अंतर्गत आता है।

'बाम्बैक्स' शब्द की उत्पत्ति ग्रीक शब्द 'बॉम्बीक्स' से हुई है जिसका अर्थ है रेशमी रोम जो बीज के चारों तरफ रहते है; 'सीबा' अमेरीका के देशीय नाम पर तथा 'सालमालीया' संस्कृत शब्द साल्मली का लैटिन रूप है।

भारतीय पौराणिक मान्यताओं के अनुसार ब्रह्माजी ने विश्व की रचना के बाद इस वृक्ष के नीचे आराम किया था। यह वृक्ष भगवान शिव द्वारा भी पवित्र माना जाता है। वृक्ष के नीचे गौतम बुद्ध की जन्मस्थली होने के कारण बुद्ध अनुयायिओं से इसका धार्मिक संबंध भी है।

यह वृक्ष पर्णपाती, लगभग 15 मीटर ऊंचा तथा पुराने वृक्ष का मूलकांड नीचे की तरफ काफी फैला हुआ होता है। मूलकांड लगभग बेलनाकार व कंटीला होता है जिसकी त्वचा भूरी तथा शाखाएं ऊंचाई पर चक्रिय क्षितिज के समांतर, एकोपरान्त, चतुर्दिक फैली होती हैं। नई शाखाओं पर छोटे-छोटे कांटे होते हैं। पत्तियां बड़ी, अंगुल्याकार; पत्रक 5 से 7, वृत्त के मध्य भाग से निकलते हैं। पुष्प ग्रामोफोन के आकार का, पंखुड़ियां मांसल, मखमली लाल या लोहित रंग की तथा कभी पीले से लाल एवं कभी-कभी सफेद रंग की होती हैं। पुष्प पत्तीविहीन शाखाओं पर प्रचुरता से निकलते हैं। इसके अंदर असंख्य अंगूरी अथवा गहरे लाल रंग के पुंकेसर, लगभग पंखुड़ियों के सम लंबाई तक तथा बैंगनी रंग के परागकोष होते हैं।

पुष्प संपूर्ण रूप से खिलने के पश्चात एक अद्‌भुत, विलक्षण तथा सुंदर छटा बिखेरते हैं। फल आयताकार तथा दोनों किनारों पर नुकीले होते हैं, जिसके अंदर गहरे-भूरे रंग के सफेद रेशमी कपास से ढके कई अंडाकार बीज होते हैं। पुष्प फरवरी-मार्च तथा फल अप्रैल-जून तक आते हैं।

फलों से प्राप्त रेशमी कपास, तकिए एवं गद्दों के अंदर भरने में काम आती है। तनों से प्राप्त गोंद का उपयोग चिपकाने के लिए, ताजे फलों को पीसकर फोड़े व घाव पर रक्षात्मक एवं दर्द-निवारण हेतु लगाया जाता है तथा आमाशय के नासूर में उपयोगी है। फूलों का आचार खाया जाता है। लकड़ियों का उपयोग दियासलाई उद्योग में किया जाता है।

सामान्यतया पौध का प्रसारण बीज तथा लगभग दो मीटर लंबी शाखाओं को लगाकर किया जाता है। इस पौधे को बहुत कम सावधानी तथा देख-रेख में लगाया जा सकता है।

पवित्र बर्ना

अंग्रेजी में यह सेक्रेड बर्ना, केपर ट्री तथा बंगाल क्विंस नाम से जाना जाता है। इसे संस्कृत में वरूणा; हिन्दी में बर्न विलोसी; बंगाली में बरुन, टिकतोशो; मराठी में वायु बर्ना, कुमला हारू बर्ना; कन्नड़ में बिलपात्री, वितुसी, होड्डेलेंगा; मलयालम में किली, निरुल्ला, निरुनलियन, वरना; तमिल में बिलवरम, मारेडु; उड़िया में बरुन, बोरुनो, बारुनोल तथा तमिल में अंजर्नी, वारानम, मारालिंगम कहते हैं। इसका वैज्ञानिक नाम *क्राटेवा नुयाला* या *क्राटेवा रेलिजियोसा* है, जो केपर कुल-कैपरेसी में आता है। 'क्राटेवा' नाम औषधीय व आयुर्वेदिक पौधों के एक ग्रीक लेखक क्राटियस के नाम पर, 'नुयाला' दक्षिण भारतीय नाम पर रखा गया है, जबकि 'रेलिजियोसा' नाम इसकी पवित्रता अथवा धार्मिक मूल्यों के लिए दिया गया है।

यह भारत मूल तथा म्यांमार का देशज है। भारत के मैदानी व शुष्क भागों में पाया जाता है। उद्यानों में तथा कभी-कभी सड़कों के किनारे भी लगाया जाता है।

यह पर्णपाती, छोटा वृक्ष, 10 मीटर लंबा होता है; छाल चिकनी, मोटी व भूरे रंग की होती है; शाखाएं गुंबदनुमा व पत्तियां लंबे वृत्त पर तीन फलक की होती हैं; पत्तियां शाखाओं के शीर्ष पर निकलती हैं, इनकी ऊपरी सतह चिकनी, चमकीली तथा निचला भाग हल्के हरे रंग का होता है। पत्तियां शीत ॠतु में गिर जाती हैं। पुष्प 5 से.मी. व्यास का, पीलापन लिये हुए सफेद व परिवर्तित होकर पीले हो जाते हैं तथा यह बड़े समूहों में प्राय: शाखाओं के छोर पर निकलते हैं। पुंकेसर लगभग 15, बैंगनी या नीले रंग के, पंखुड़ियों से लंबे; फल गोल रसदार, अंडाकार एवं अंदर कई चपटे बीज, सफेद गूदे के मध्य में होते हैं। पुष्प मार्च-मई में पर्णविहीन अवस्था में या नई पत्तियों के आने से पूर्व आते हैं।

इसका प्रसारण बीज व मूल वृंत से निकले पौधों से किया जाता है। ताजे बीजों को वर्षा के समय क्यारियों के अंदर अथवा गमले में बुवाई करने के पश्चात सिंचाई कर देते हैं। पौधों का रोपण दूसरी बरसात में किया जाता है। लंबी, मूसलदार जड़ वाले पौधों के रोपण में सावधानी बरतनी चाहिए।

वृक्ष को हिन्दुओं तथा मुसलमानों द्वारा धार्मिक दृष्टिकोण से पवित्र होने के कारण मन्दिर, मस्जिद के निकट लगाते हैं। पूर्णरुपेण खिले हुए पुष्पों के कारण वृक्ष अति सुंदर लगते हैं। यह शुष्क जलवायु के लिए उपयुक्त होता है। शहर में सड़कों के किनारे लगाने पर यह देखने में अति सुंदर लगता है। इसे कम देख-रेख में भी लगाया जा सकता है।

पत्तियों का उपयोग गठिया तथा वात रोग के कष्ट निवारण हेतु किया जाता है। छाल का सेवन मंदाग्नि अथवा भूख न लगने पर तथा सर्पदंश प्रतिरोधी के रूप में किया जाता है। फल खाते हैं, लकड़ी हल्की होने के कारण दियासलाई की तीली, कंघी तथा छोटे सामान बनाने में उपयोगी होती है। पौधों पर छोटे-छोटे कीड़ों का कुप्रभाव शीघ्र होता है, इनसे बचाव हेतु बेन्जीन हेक्सा-क्लोराइड (बी.एच.सी.) का छिड़काव करना उचित होता है।

पारस पीपल

पारस पीपल को हिन्दी में भेंडी, गजाहोंडा, पोरुस एवं पारसीपु भी कहते हैं तथा अन्य भारतीय भाषाओं में बेंडी, भिंड, पारस पीपलो (गुजराती); बेंडी, भेंडा, पारस पीपल, रनभिंडी (मराठी); गंगारानी, मुनिगंगारानी (तेलुगु); अरसी, आशा, बुगरी, बमगाली, गन्दाराली, हुर्वासी (कन्नड़); चॉदमरम (मलयालम) तथा कल्लल पीरम व पुप्पारुटिट (तमिल) में कहते हैं। अंग्रेजी में अम्ब्रेला ट्री, पोर्शिया ट्री तथा ट्यूलिप ट्री कहते हैं।

इसका वनस्पतिक नाम *थेस्पेसिया पापुलनीया* है जो मैलो अथवा भिंडी कुल मालवेसी के अंतर्गत आता है। 'थेस्पेसिया' ग्रीक शब्द थेस्पे-सिया अर्थात पवित्र से बना है। इस वृक्ष का सर्वप्रथम अवलोकन कैप्टन जेम्स कुक ने 1769 में टाहिटी मन्दिर के पास किया था; तथा 'पापुलनीया' का अर्थ पापलर वृक्ष अथवा भिंडी की पत्तियों के आकार की पत्तियां हैं।

यह सुंदर वृक्ष भारत मूल स्थान का है। प्रायः समुद्र तटों तथा मुहानों के आस-पास बहुलता से पाया जाता है एवं सामान्य रूप से सड़कों के किनारे, उद्यानों के अंदर अच्छे आच्छादन, घनी छाया तथा ट्यूलिप की तरह के सुंदर पुष्प के लिए प्रचुरता से लगाया जाता है।

यह सदाबहार वृक्ष, मध्यम आकार, 5-10 मी. ऊंचा; तने का छिलका भूरा, भद्दा-गांठदार तथा वृक्ष खूब घना होता है। पत्तियां-गहरे हरे रंग की, साधारण, एकांतर, चौड़ी हृदयाकार, जिसके शीर्ष पर लंबी पीपल की पत्तियों की भांति पूंछ होती है।

पुष्प-एकाकी या कक्षस्थ, पीले, घंटाकार, गुड़हल की तरह होता है, जो विलक्षण घुमावदार होता है तथा रंग फीका पड़ने पर हल्का नील-लोहित हो जाता है। फल-एक, संपुट, गोलाकार तथा मध्य में दबा होता है; अंदर कई बीज सफेद, रेशमनुमा रोओं से ढके होते हैं।

वैसे तो फूल लगभग वर्ष भर आते हैं लेकिन फरवरी- सितंबर में अधिकाधिक संख्या में आते हैं। फल ग्रीष्म काल में आते हैं।

पौध प्रसारण बीज द्वारा बड़ी सुगमता से किया जाता है। वृक्ष के विकास हेतु नम-उष्ण जलवायु तथा हल्की मृदा की आवश्यकता होती है तथा पौधों का शीघ्र विकास मात्र थोड़ी सी ही देख-रेख में हो जाता है।

लकड़ी मजबूत होने के कारण बंदूक का निचला भाग, नौका, बैलगाड़ी, फर्नीचर, वाद्ययंत्र, इत्यादि बनाने में उपयोगी है। छाल से तंतु व बीज से तेल निकलता है जो खाने तथा प्रकाश के लिए प्रयोग किया जाता है। पौधे का संपूर्ण भाग सफेद दाग एवं कई प्रकार के चर्म रोगों के निदान में उपयोगी होता है।

गलगल

गलगल के अन्य हिन्दी नाम फुनेरी व गाब्दी है तथा अन्य प्रादेशिक नाम गानेरी, गांगले (मराठी); कोंगु, कोन्डागु (तेलुगु); कॉनिलम, तानाक्कु तथा हिल कॉटन ट्री (तमिल), असिरेनाबर्गा, आदाइबुर्गा (कन्नड़); अप्पाकुटाक्का (मलयालम) तथा उड़िया में कोंटापलास है। अंग्रेजी में यलो फ्लावर्ड सिल्क कॉटन ट्री, टॉर्चवुड ट्री तथा बटर-कप ट्री कहते हैं। इसका वनस्पतिक नाम *कोचलोस्पर्मम रेलीजीओसम है,* जो कोचलोस्पर्मेसी कुल का पौधा है।

चायना एस्टर – पुष्प

चायना एस्टर – पुष्प तथा पौधा

गुलदाउदी (एकवर्षीय) – पुष्प

गुलदाउदी – इनकर्ब्ड प्रारूप (संकर)

गुलदाउदी (संकर)

मुर्गकेश – प्रभेद 'ज्वेल बॉक्स'

मुर्गकेश – प्रभेद 'प्लुमोसा'

एंटीराहिनम – पुष्प

गुलमेहंदी – पुष्प

गुलमेहंदी (संकर) – पुष्प

लाल पोस्त – पुष्प

अफीम – पुष्प

हॉलीहॉक – विभिन्न रंगों के पुष्प

अफ्रीकी गेंदा – पुष्प

अफ्रीकी गेंदा – बौनी प्रजाति

फ्रेंच गेंदा – पुष्प

फ्रेंच गेंदा – बौनी प्रजाति

सूरजमुखी – 'जायंट यलो' प्रभेद

सूरजमुखी – 'ड्वार्फ सनबर्स्ट' प्रजाति

बार्लेरिया क्रिस्टाटा 'कान्डिडा' – पुष्प तथा झाड़ी

बार्लेरिया क्रिस्टाटा 'लांकेस्टरी' – पुष्प

गंधराज प्रभेद – वैरियागाटा

चांदनी प्रभेद – वैरियागाटा

चांदनी – पुष्प

चांदनी प्रभेद – फ्लोरी प्लेनो

सावनी प्रभेद 'कान्डिडा' – पुष्प

सावनी प्रभेद 'रोजिआ' – पुष्प

बड़ा जारूल – पुष्प

जारूल वृक्ष

जारूल – पुष्प

कॉमन आलिएंडर 'अल्बम' – पुष्प

कॉमन आलिएंडर 'कार्निआ' – पुष्प

कॉमन आलिएंडर 'रोजियम' – पुष्प

कॉमन आलिएंडर 'कार्नियम फ्लोरी प्लेनो'

कनकाम्बरम – पुष्प तथा झाड़ी

कनकाम्बरम प्रभेद 'लुटिया' – पुष्प

धतूरा – पुष्प

धतूरा प्रभेद 'हुबेरिआना'– द्विदल पुष्प

धतूरा प्रभेद 'हुबेरिआना'–त्रिदल पुष्प

गुड़हल – पुष्प

गुड़हल – पुष्प तथा झाड़ी

गुड़हल – प्रभेद 'रेड सिल्क'

गुड़हल – संकर पुष्प

गुड़हल संकर पुष्प

जपानी लालटेन गुड़हल

गुड़हल पुष्प

पीला गुड़हल

सफेद गुड़हल प्रभेद – 'जॉन–द–आर्क'

हरा चंपा – झाड़ी

हरा चंपा – पुष्प

हरा चंपा – फल

चीनी इक्जोरा – पुष्प

चीनी इक्जोरा – विभिन्न रंगों की बाड़

स्कारलेट इक्जोरा – पुष्प तथा झाड़ी

पीला इक्जोरा

टार्च वुड इक्जोरा

सिंगापुर इक्जोरा

गुलाबी इक्जोरा

जैस्मिन – पुष्प

जैस्मिन प्रभेद 'रूबिसेन्स'

मोगरा प्रजाति 'राई'

मोतिया – पुष्प

चमेली – झाड़ी

जैस्मिन 'ऑरिकुलेटम'

जैस्मिन 'निटिडम' – पुष्प

सदाबहार प्रभेद 'वैरियागाटा'

राधाचूड़ा – पुष्प तथा झाड़ी

पारिजात – पुष्प

राधाचूड़ा – पुष्प

राधाचूड़ा 'फ्लावा' – पुष्प

कॉमन इंग्लिश डॉग रोज़ – पुष्प

रोज़ (संकर) – चित्रा रंजन

फ्लोरीबंड गुलाब–टाटा सेंटर

मिनिएचर गुलाब – पिस्की

सफेद कचनार – पुष्प

संकर टी रोज

पालिएंथा गुलाब – प्ले गर्ल

कचनार – झाड़ी, पुष्प तथा फल

गुलाबी कचनार – पुष्प

कचनार – पुष्प

पीला कचनार–झाड़ी तथा पुष्प

पीला कचनार – पुष्प

आर्किड कचनार – पुष्प

गुलाबी प्रजाति का पीला कनेर – पुष्प

कनेर – पुष्प तथा फल

पीला कनेर – सफेद प्रभेद

पीला कनेर – झाड़ी, पुष्प तथा फल

गुलाबी प्रजाति का पीला कनेर – झाड़ी, पुष्प तथा फल

'कोचलो' ग्रीक भाषा के शब्द 'कोचलोस' से बना है जिसका अर्थ होता है घोंघा, घोंघे का कवच, चक्राकार, मुड़ा हुआ। 'रेलीजीओसम' का अर्थ धार्मिक है अर्थात जिसका पुष्प पूजा अर्चना में प्रयुक्त होता है।

विश्व में कुल 11 *कोचलोस्पर्मम* की जातियों में से मात्र एक यही भारत के उष्ण कटिबंधिय पर्णपाती वनों में मुख्यतया उत्तर प्रदेश, मध्य प्रदेश, छत्तीसगढ़, बिहार, झारखंड, उड़ीसा, महाराष्ट्र तथा दक्षिण भारत में; सूखी पथरीली भूमि में; लगभग 1000 मीटर की ऊचांई तक पाई जाती है। इस वृक्ष को उद्यान व मंदिर के प्रांगण में इसके अति सुंदर पीले पुष्प हेतु लगाते हैं।

वृक्ष छोटा या मध्यम आकार का लगभग 10 मी. ऊंचा होता है। पत्तियां शीत ऋतु में गिर जाती हैं। मूलकांड, स्थूल, टेढ़ा-मेढ़ा; छाल खुरदरी, हल्के भूरे रंग की एवं शाखाएं कम फैली होती हैं। पत्तियां- चौड़ी, चिकनी, गहरे हरे रंग की, 8-16 से. मी. व्यास की, पालित तथा शीर्ष नुकीला होता है। पत्तियां समूह में शाखाओं के अग्रभाग पर निकलती हैं। पुष्प पत्ती विहीन शाखाओं पर बड़े शीर्षस्थ संयुक्त रेसीम में निकलते हैं; दल 5, सुनहरे पीले, भुथरे, अंडाकार व फांक गहरा व किनारा अनियमित होता है। फल अंडाकार, 5 पालित होते हैं जो वृक्ष पर लटके रहते हैं; इसके अंदर कई वृक्काकार बीज होते हैं, जो मुलायम सिल्क की भांति ऊन से ढके रहते हैं।

बड़े चमकीले, पीले पुष्प अति सुंदर नयनगोचर लगते हैं, साथ ही लटकते हुए अंडाकार फल एक विशेष आकर्षण उत्पन्न करते हैं जो दूर से ही वृक्ष के अस्तित्व की सार्थकता को प्रमाणित करते हैं। पत्तियां पुष्प आने के पश्चात ही आती हैं।

पौध, बीज द्वारा जुलाई-अगस्त में बुवाई करके तैयार करते हैं, पौधों में बढ़ाव शीघ्र होने के कारण, एक वर्ष के भीतर रोपित कर देते हैं जो शीघ्र ही बढ़कर दो वर्ष के भीतर फूल देने लगते हैं।

वृक्ष का आर्थिक महत्व भी है- छाल से निकली गोंद 'किनो' का उपयोग सिगार चिपकाने में, कपड़े की छपाई, किताब-बांधने एवं मलाई-बरफ उद्योग में किया जाता है। फल के रेशे (ऊन) को बिछावन-गद्दे के भीतर भरते हैं एवं प्राण रक्षक पेटी भी बनाई जाती हैं।

गलगल के वृक्ष को अन्य अलंकृत पुष्पीय वृक्षों के साथ, झाड़ी की पट्टियों के पीछे, हरियाली/घास के बड़े मैदानों की बगल में तथा दो सड़कों के मध्य की पट्टिकाओं में लगाते हैं। यह पथरीली जमीन व पर्वतीय ढलानों पर भी लगाने योग्य है। यह आग को भी झेल जाता है।

एकवर्षीय पौधे

चायना एस्टर

चायना एस्टर एक सामान्य एकवर्षीय पौधा है, जो उद्यानों में अपने अलंकृत पुष्पों के लिए लगाया जाता है। इसके पुष्प अच्छी बनावट तथा बहुत से रंगों के, गुलाबी, हल्का गुलाबी, लाल, सफेद, नीला, गहरा लाल, लोहित वर्ण, बैंगनी अथवा नील-लोहित होते हैं तथा लंबे समय तक ताजे रहते हैं। इनकी कटे पुष्प हेतु प्रचुर मांग रहती है। इसका वनस्पतिक नाम कालीस्टेफुस चाइनेन्सिस है जो एस्टरेसी कुल में आता है।

'कालीस्टेफुस' ग्रीक शब्द 'कल्लीस्टेफानॉस' से बना है जिसका अर्थ सुंदर ताज से है तथा 'स्टेफिन' का अर्थ ताज अथवा मुकुट है जिसका संबंध इसके फल (एकीन) में छोटे उभार अथवा छोटे विकार से है। 'चाइनेन्सिस' का संबंध इसके देशज 'चीन' से है। इसका यूरोप में प्रथम प्रवेशन 1731 में ईसाई धर्म प्रवर्तकों द्वारा चीन से लाकर किया गया तथा भारतीय वनस्पति उद्यान, हावड़ा में प्रथम प्रवेशन 1802 में डा. बुकानॉन द्वारा किया गया।

एकवर्षीय शाक, जो अपने आकार तथा प्रभेद के अनुसार 15-60 से. मी. ऊंचा होता है; रोमिल पत्तियां एकांतर, अंडाकार, चौड़ी-त्रिकोणीय, अति दंतिल, ऊपरी पत्तियां चम्मचाकार तथा पतली होती हैं; पुष्प एकाकी शाखाओं के शीर्ष पर निकलते हैं। रश्मि-पुष्पक रमणीय तथा बहुरंगी होते हैं तथा 2.5-12 से. मी. फैलाव में रहते हैं; इनके बिम्ब-पुष्पक पीले होते हैं तथा सहपत्र हरे व बड़े होते हैं।

इसके कुछ प्रभेद तथा प्ररूप कॉमेट, पिओनी फ्लावर्ड, क्राइसेन्थिमम-फ्लावर्ड, वाशिंगटन, विक्टोरिआ, मिग्नान तथा क्वीन ऑफ दी मार्केट हैं तथा सामान्य प्रभेदः परफेक्सन, कैलीफोर्निथन जायांट, पाउडर फफ, सुपर जायांट, टॉटेम पोल, ड्वार्फ क्राइसेन्थिमम फ्लावर्ड, ड्वार्फ क्वीन, लिलीपुट, जायांट कामेट, जायांट प्रिंसेस, जायांट फुल्ली, सुप्रीम, डबल बाल, जायांट हार्मिंग, फ्लुट्टी फैंसी फेअर इत्यादि हैं।

इसके समुचित विकास तथा पुष्प आने के लिए खुले सूर्य का प्रकाश आवश्यक है। दोमट मृदा के साथ अत्यधिक मृदा जैवांश या ह्यूमस का समिश्रण उपयुक्त होता है। मैदानी भागों में बीज को सितंबर के पूर्वार्ध में जनवरी–मार्च में पुष्प हेतु तथा पर्वतीय क्षेत्रों में जून में फूल प्राप्त करने के लिए मार्च में बुवाई करते हैं। साधारणतया पुष्प तीन महीने तक खिलते रहते हैं।

पौध रोपित करने से पहले मृदा को अच्छी प्रकार से सड़ी हुई गोबर की खाद 5–6 कि.ग्रा. प्रति वर्ग मीटर, सल्फेट ऑफ अमोनिया, सुपर फास्फेट (प्रत्येक 45–60 ग्राम) तथा 15 ग्राम पोटेशियम क्लोराइड प्रति वर्ग मीटर में मिश्रण को मिलाना चाहिए। 10–15 दिनों के अंतराल में पोटेशियम परमैगनेट का छिड़काव पौध रोपण के पश्चात लाभदायक होता है। तरल खाद पौधों में अच्छे विकास तथा अच्छी गुणवत्ता के पुष्प हेतु लाभदायक होती है। ऊंचे बढ़ने वाले प्रभेद के लिए सहारे की आवश्यकता पड़ती है। ताजे तथा अच्छे उत्कृष्ट पुष्पों के लिए नियमित सिंचाई आवश्यक है।

फुदका तथा पत्तियों में छेद करने वाले कीटों द्वारा प्रभावित पौधों का निदान पॉराथियान या किसी अन्य संपर्क में आने वाले कीटनाशक के छिड़काव से करते हैं। आलू–माहू के बचाव हेतु लेड–आसीनिट का छिड़काव दो बार करते हैं। मृदा–जनन कवक द्वारा शौथिल्य अथवा उकठा के प्रभाव से बचाव हेतु बीज को 0.1 प्रतिशत मरक्युरिक क्लोराइड के घोल में 30 मिनट तक डुबाने के पश्चात बुवाई करनी चाहिए। पर्ण–चित्ती के कुप्रभाव से पत्तियों पर हल्के पीले धब्बे/दाग हो जाते हैं, जो बाद में गहरे भूरे तथा काले हो जाते हैं, इनको जिनेब या मानेब के छिड़काव से रोका जा सकता है। रतुआ तथा गेरुई के प्रभाव से नये पौधों की पत्तियों के निचले भाग पर चमकीले पीले–नारंगी रंग की चित्तियां हो जाती हैं, इससे बचाव हेतु पानी में गंधक के घोल का पौधों के विकास के समय छिड़काव करते हैं।

चायना एस्टर साधारण क्यारियों, बार्डर, हरियाली तथा झाड़ी की पट्टिका के चारों तरफ या सामने लगाने हेंतु उपयुक्त होता है, इसे गमलों में भी लगाते हैं। इसके कटे पुष्प गुलदस्तों, पुष्प गुच्छों तथा सामान्य रूप से साज–सज्जा हेतु व्यवहार में लाते हैं।

गुलदाउदी

गुलदाउदी का सामान्य नाम क्राइसेन्थेमस है। इसका स्थानीय नाम चंद्रमल्लिका, सेवन्ती (संस्कृत); चन्द्रमल्लिका (बंगाली); सेवंती (मराठी); अक्काराक्कारम, जावंती (तमिल); चामुंती (तेलुगु); साविंतगे (कन्नड़) है। यह सूरजमुखी या एस्टर कुल एस्टेरेसी का पौधा है। क्राइसेन्थेमम एक लैटिन शब्द है तथा ग्रीक में 'क्राइसेन्थेमम' का तात्पर्य सुनहरे फूल से है।

यह एक बहुत ही प्रचलित पौधा है, जिसके पुष्प विभिन्न आकार में होने के कारण क्यारियों में लगाने, सजावट हेतु, कटे पुष्प, माला व वेणी में, मुख्यतया दक्षिण भारतीय तथा महाराष्ट्र की महिलाओं द्वारा केश-सज्जा के लिए प्रयोग किए जाते हैं। इसका मूल स्थान पूर्वी-एशिया, संभवतः जापान है, जहां इसकी खेती लगभग 2000 वर्षों से की जाती रही है। यह जापान का राष्ट्रीय पुष्प है।

यह वार्षिक अथवा बहुवर्षीय पौधा है, जिसके नीचे का तना काष्ठीय, अधिक शाखान्वित, चिकना, रोएंदार व गंधीय होता है। पत्तियां एकांतर, अछिन्न या पालित तथा कई भागों में विभक्त होती हैं। पुष्प मुंडक सफेद, गुलाबी, लाल, बैंगनी, पीले तथा कई मिले-जुले रंगों के होते हैं; एकल, अर्ध-दोहरे तथा सम्पूर्ण रूप से दोहरे दल-पुंज लंबे पुष्प दंडों पर अथवा सामूहिक कारिंब में होते हैं; बिंब-पुष्पक उभयलिंगी या द्विलिंगी तथा प्रायः जननसम होते हैं; रश्मि-पुष्पक प्रायः नपुंसक तथा रश्मियां अछिन्न या दंतिल होती हैं।

उद्यान में पाए जाने वाले प्रभेद क्राइसेन्थेमम मारीफोलियम तथा क्रा. इन्डिकम के संकरण से पैदा हुए हैं। संकरण तथा चुनाव से प्राप्त उत्परिवर्ती को मुख्य रूप से एकवर्षीय तथा बहुवर्षीय गुलदावदी में वर्गीकृत किया गया है। (1) छोटे पुष्प जातियों में कोरियन सिंगल, कोरियन डबल, मार्गुराइट, चार्म या सीनेरारीआ, क्विल्ड अथवा अर्ध-क्विल्ड, पॉम्पन, आनीमोन, कॉस्केड तथा बटन, तथा (2) द्विदलीय पंखुड़ियों की जातियों में इनकर्व्ड, इनकर्विंग, रीफ्लेक्सड, जापानीस या अनियमित, रेयोनेट या बॉल, क्विल्ड तथा अर्ध-क्विल्ड, डेकोरेटिव, आनीमोन। एकल पुष्प वालों में कई आकार, माप तथा रंग में बहुत सुंदर तथा देखने में आकर्षक होते हैं।

बड़े पुष्प वाली कुछ मुख्य जातियों में, ब्यूटी, स्नो बॉल, ग्रीन गाडेस, प्रीमीयर (सफेद), चंद्रमा, सुपर जायंट, इवनिंग स्टार (पीला); कवर गर्ल, फिश-टेल, पिंक क्लाउड, शिरले परफेक्शन, पिंक टर्नर (चमकीला गुलाबी, बैंगनी), आउटम ब्लेज, आल्फ्रेड, सिम्प्सनस, आपार्ट, डिस्टिन्कशन, ड्रेगन (लाल, ताम्र रंग) हैं। छोटे फूल वाली जातियों में कुछ मुख्य हैं; हॅनी कॉम्ब, ज्योत्सना, शरद शोभा, शरद माला, परफेक्ट (सफेद), अर्चना, अपराजिता, एक्सक्युसाइट, शरद सिंगर, आलीसान, चार्म, मेगानी, मॉडेला (चमकीला गुलाबी), गार्नेट, जेम, जीयान, फ्लिट (लाल, नारंगी, ताम्र); छोटे कद के सफेद पुष्पों में बीरबल साहनी, हिमानी, ज्योत्सना; पीले पुष्पों में बासंती, फ्रीडम, कुंदन, सुजाता; चमकीले गुलाबी पुष्पों में अप्सरा, निलिमा, गाइटी; लाल फूलों में ब्लेज, जया, डाइन्टी मड इत्यादि हैं। बीरबल साहनी, करोल, शारसोल, शोभा सफेद रंग; जबकि वासंती, फ्रीडम, होसुर यलो, कुंदन, इत्यादि छोटे पुष्पीय कृषियोग्य जातियां माला बनाने के लिए उपयुक्त होती हैं।

बीज की बुवाई मार्च - मई में करते हैं। अंकुरण 10-15 दिनों के पश्चात हो जाता है तथा पौध-रोपण अक्टूबर-दिसंबर में किया जाता है। यह क्यारियों तथा पट्टिकाओं में

लगाने योग्य है तथा बहुत कम देख–रेख में ही इसको लगाया जा सकता है। पुष्प फरवरी–अप्रैल में खिलते हैं। वार्षिक प्रभेद के पौधे को बीज द्वारा जबकि बहुवर्षीय पौधों का अंत:भूस्तारी, कलम तथा रोपण विधि द्वारा प्रसारण किया जाता है। साधारणतया कलम को साफ–सुथरी बालू में दिसंबर–मार्च में 8 से.मी. की दूरी पर लगाते हैं; जड़ युक्त कलमों को बालू, पत्ती की खाद तथा उद्यान मृदा के 2:1:1 अनुपात के मिश्रण को गमले में भरकर लगाते हैं।

इसके अच्छे विकास के लिए बलुई–दोमट मृदा, चिकनी मृदा तथा सड़ी हुई गोबर की खाद का मिश्रण श्रेयस्कर होता है। पूरे वर्ष सूर्य के प्रकाश की आवश्यकता के साथ–साथ वर्षा ऋतु में पौधों को पानी से बचाना आवश्यक है। अत्यधिक सिंचाई पौधों के विकास में बाधक होती है। इसके समुचित विकास तथा वांछित आकार के पुष्प हेतु एक विशिष्ट ढंग से सुनियोजित तथा सामयिक देख–रेख की आवश्यकता पड़ती है।

गुलदाउदी को जमीन, क्यारियों तथा गमले में लगाया जाता है। बड़े पुष्प वाले डेकोरेटिव प्रभेद को लगाने हेतु गमलों में बार रोपित करते हैं। जिसके अंदर मृदा, बालू, पत्ती की खाद तथा अन्य खाद डालकर पौधों के आकार तथा विकास के अनुरूप फरवरी–सितंबर में लगाते हैं ताकि अक्टूबर–नवंबर में अच्छे पुष्प प्राप्त हो सकें। छोटे पुष्प वाले प्रभेद लगाने के लिए साधारणतया पौधों का रोपण बार–बार नहीं किया जाता। विकसित तथा आकर्षक पुष्प लेने के लिए पौधों को उचित जल निकास, लकड़ी का सहारा, पुष्प कलिकायन को तोड़ना, खाद के साथ पौधों के ऊपर रासायनिक खादों का उचित मात्रा में छिड़काव, पौधों के विकास की विभिन्न अवस्थाओं में करना उचित होता है।

साधरणतया पौधों पर माहू का प्रकोप होता है जिसका निदान साबुन के झाग के पानी के साथ, तंबाकू का घोल अथवा मेलाथियॉन तथा पैराथियान के छिड़काव से करते हैं। रोमिल इल्ली पत्तियों को खा जाती है इसको हाथ से निकाल कर तथा थियोडान 35 ईसी या एकाउलुक्स 35 ईसी को 1.25 मिली लीटर प्रति एक लीटर पानी के साथ छिड़काव से; लाल मर्कट घुन पत्तियों तथा कलियों को क्षति पहुंचाते हैं इनको मेटासीस्टॉक्स तथा काथेन कीटनाशक घोल के छिड़काव से कीटमुक्त किया जाता है। भृंगक के प्रभाव से तना तथा जड़ों में उकठा तथा गलन होने से पौधे मुरझा कर सूखने लगते हैं जिन्हें एल्ड्रिन, लिन्डेन या शिमेट मृदा के अंदर मिलाकर नष्ट करते हैं। दीमक से बचाव हेतु गेमेक्सिन या नीम की खली का छिड़काव 5 से 7 बार करना चाहिए। जड़ विगलन अनुपयुक्त जल निकासी तथा तना विगलन व उकठा से नियंत्रण के लिए डाइथन एम— 45 मृदा में मिलाकर; पूर्ण चित्ती से निदान हेतु बावीस्टीन या बेलाटे (दोनो 0.1%) का पौधों पर छिड़काव; काली–चित्ति को लाल दवा के छिड़काव से; चुर्णिल, आसिता से बचाव के लिए ट्राइफोरीन (30 ग्रा. प्रति 1000 लीटर पानी में) तथा झुलसा रोग हेतु रोग रहित पौध तथा मृदा का विसंक्रमण करके बचाव किया जा सकता है।

मुर्गकेश

मुर्गकेश एक बहुत ही आकर्षक एकवर्षीय पौधा है। जिसकी खेती इसके सुंदर घने, लहरदार, कंघी अथवा मुर्गे की चोटीनुमा विलक्षण पुष्प के कारण की जाती है। यह आकार फूलों के चौरस होने के कारण होता है। इसलिए इसका नाम मुर्गकेश अथवा कॉक्सकॉम्ब पड़ा है।

इसे संस्कृत में मयूर-शिखा कहते हैं, इसका स्थानीय नाम हिन्दी में लालमुर्गा, कोकन, पीला मुर्गा, मुर्गकेश; बंगाली में लाल मुर्गा, हल्दी मुर्गा; मराठी में मयूर-शिखा; गुजराती में मोरा-शिखा तथा तेलुगु में कोडिजुत्तो तकुरा है। इसका वनस्पतिक नाम *सेलोसिआ आर्जेन्टीअस, प्रभेद क्रिस्टाटा* है, जो चौलाई कुल आमारान्थेसी में आता है।

सेलोसिआ शब्द की उत्पत्ति ग्रीक शब्द 'केलोस' अर्थात इसके फूल के रंग से हुई है, 'आर्जेन्टीअस' शब्द लैटिन के (अर्जेन-टीयुस) तात्पर्य चांदी की तरह श्वेत पुष्प तथा 'क्रिस्टाटा' का अर्थ चपटे पुष्प से है।

पौधा 45-90 से.मी. ऊंचा, तना मांसल, कभी-कभी चपटा होता है। पत्तियां- हरी अथवा ताम्र रंग की रेखाकार-भालाकार से आयत-भालाकार होती हैं। पुष्प-स्पाइक शीर्षस्थ, घने, चपटे अथवा चौड़े, कभी-कभी बांसुरी की तरह, मखमली, लोहित या लाल, नील-लोहित, बैंगनी व पीले तथा 15-25 से.मी. चौड़े होते हैं। बीज-छोटे, काले व चमकीले होते हैं।

संभवतः इसका देशज भारत है। उद्यानों में गमले या क्यारियों में इसके दृढ़, चमकीले, रंगीन, चपटे पुष्प-हैड के लिए इसकी खेती की जाती है। प्रभेद 'ज्वैल बॉक्स मिक्सड' को इसके विभिन्न रंगों के लिए प्रायः गमले में प्रचुरता से लगाते हैं। तनों से रेशा निकलता है तथा संपूर्ण पत्तियां साग के रूप में खाई जाती हैं। पुष्प का प्रयोग अतिसार तथा बीज, खांसी तथा आमातिसार/पेचिस प्रतिरोधक के रूप में किया जाता है।

प्रभेद 'प्लुमोसा' जिसे प्रिंस ऑफ वाल्स फैदर कहते हैं। पुष्प हैड रेशमी, पंखदार तथा कलंगी पीले, गहरे लाल, लाल, सुनहरे इत्यादि कई रंगों की होती हैं, जिसकी ऊंचाई 25 से.मी. अथवा कभी-कभी एक मीटर तक भी होती है। ऊंचे प्रभेद के पौधों को सम्मिलित बार्डर, दिवार के किनारे तथा छोटे प्रभेद गमले में लगाने तथा सामान्य प्रदर्शन हेतु उचित होते हैं। प्रभेद-गोल्डेन फैदर, ज्वैल बॉक्स, फायर-फैदर, ड्वार्फ मिक्सड, फेयरी फाउन्टेन की खेती मुख्यतया होती है।

मुर्गकेश तथा प्रभेद प्लुमोसा में पुष्प प्रायः गर्म महीनों में आते हैं, लेकिन इनकी खेती सभी ऋतुओं में की जा सकती है। जनवरी-फरवरी, मई-जून, तथा सितंबर-अक्टूबर में बुवाई करने से फूल ग्रीष्म, वर्षा तथा शीत ऋतु में क्रमशः आते हैं। पौध में 4-6 पत्तियां आने के पश्चात प्रायः तीन सप्ताह बाद रोपित करते हैं। साधारणतया पौधों में फूल तीन महीने में आने लगते हैं। इसे अधिक उर्वरायुक्त हल्की मृदा की आवश्यकता होती है तथा थोड़ी सी ही देख-रेख में लगाया जा सकता है, फिर भी पौधे को नियमित सिंचाई की आवश्यकता पड़ती है। पौधों को गमलों में लगाने पर बार-बार परिवर्तित करना चाहिए। ऊंची प्रभेद के पौधों को उचित सहारे की आवश्यकता पड़ती है। छोटे प्रभेद के पौधे गमलों में लगाने हेतु उचित होते हैं।

एंटीराहिनम

कुत्ता-पुष्प या एंटीराहिनम को कॉमन स्नापड्रेगन, फ्लोरल स्नापड्रेगन या लार्ज स्नापड्रेगन भी कहते हैं। इसका वनस्पतिक नाम *एंटीराहिनुम माजुस* है जो फिगवार्ट कुल स्क्रोफुलारियेसी में आता है। शब्द 'एंटीराहिनुम' 'ग्रीक शब्द' 'अंट' 'रिहस' अथवा 'रीहोनोस' से बना है, जिसका तात्पर्य है नाक के नथूनों के आकार का पुष्प तथा 'माजुस' का लैटिन अर्थ बड़े आकार का पुष्प है।

यह पौधा दक्षिण यूरोप, सीरिया तथा उत्तरी अफ्रीका का देशज है। जिसका उद्यान विज्ञान में प्रथम प्रवेशन 19 वीं शताब्दी के पूर्वार्द्ध में हुआ तथा भारत के कई भागों में इसकी खेती विशेषकर, उद्यानों, उपवनों, आवासीय भवनों तथा पौध-प्रेमियों द्वारा इसके उत्कृष्ट, सुंदर, विलक्षण आकार तथा रंग के पुष्पों के लिए की जाती है। यह शरद ऋतु के मौसमी फूल के रूप में अधिक प्रचलित है। यह क्यारियों में मिश्रित बार्डर, एकवर्षीय हरबेसियस बार्डर, गमलों, रॉक गार्डन, रोशनदान, उद्यानों तथा कटे पुष्प हेतु लगाया जाता है।

यह बहुवर्षीय शाक है। अर्ध-काष्ठीय सीधा, 20-100 से.मी. ऊंचा तथा 20-30 से.मी. के घेरे में होता है। लेकिन सामान्यतः एकवर्षीय पौधे के रूप में लगाया जाता है। पत्तियां भ्रमिक, भालाकार अथवा आयत-भालाकार, अछिन्न, लगभग 6 से.मी. लंबी, गहरे हरे रंग की, कभी-कभी चित्तीदार होती हैं। पुष्प विभिन्न रंगों में, सफेद, पीला, गुलाबी तथा मखमली लाल रंग के मिश्रण में दीर्घिकृत, शीर्षस्थ स्पाइकों में; बाह्य दलपुंज 5-भागों में विभक्त तथा दलपुंज नलिका लंबी होती है; पंखुड़ियां दलपुंज विहीन, ऊपरी ओंठ उच्छीर्ण

तथा 2–पालियुक्त, निचले 3–पालियुक्त तथा फैले हुए होते हैं। गला प्रायः तालु द्वारा बंद होता है, लेकिन परागण के समय मधुमक्खियों के दबाव पर खुल जाता है। फल एक-संपुट होता है, जिसके मध्य कई छोटे–छोटे भूरे रंग के बीज होते हैं। फूल फरवरी–अप्रैल तथा फल अप्रैल–मई तक आते हैं।

उद्यान विज्ञान संबंधित कई प्रभेद होते हैं, जिसको अधिक ऊंचाई (18–20 से.मी.), मध्यम ऊंचाई (55–75 से.मी.), कम ऊंचाई (25–50 से. मी.) एवं बौने (15–20 से. मी.) में बांट सकते हैं। इनके दलपुंज दोहरे (डबल) तथा कई प्रकार के आकर्षक रंगों में बहुत सुंदर होते हैं। बौने प्रभेद में पुष्प अधिकाधिक संख्या में तथा दीर्घ समय तक आते हैं तथा किनारे बनाने के लिए उपयुक्त होते हैं। अधिक ऊंचाई वाले प्रभेद उद्यान में अधिक सुंदरता हेतु एवं कटे पुष्प गृह–सज्जा एवं पुष्प–गुच्छ हेतु उपयुक्त होते हैं।

पौधों को बीज द्वारा तैयार किया जाता है, बीज मैदानी भागों में सितंबर–अक्टूबर तथा पर्वतीय क्षेत्रों में फरवरी–मार्च में बोते हैं। क्यारियों या गमले में हल्की मृदा तथा जैविक खाद के मिश्रण को भरते हैं। 4–5 पत्तियों वाली पौध को क्यारियों में 25–30 से.मी. की दूरी पर रोपित करते हैं। हल्की दोमट मृदा में पौधों का विकास समुचित होता है। पौधे को खुला हुआ सूर्य का प्रकाश आवश्यक होता है, नियमित निराई, गुड़ाई तथा सिंचाई के साथ–साथ गोबर तथा पत्ती की खाद का छिड़काव पौधों के विकास के लिए व अच्छे रंग तथा पुष्प हेतु अति आवश्यक है।

पुष्प सुंदरता के अतिरिक्त, पौधे का औषधीय महत्व भी है, पत्तियों को पीस कर तैयार प्रलेप गांठों तथा पुराने घावों को ठीक करने में लगाया जाता है। पौधों का काढ़ा हृदय–बलवर्धक, चित्त शांत करने तथा निम्न रक्तचाप निवारण हेतु दिया जाता है।

गुलमेंहदी

गुलमेंहदी एक बहुत ही प्रचलित, भारत देशज का एकवर्षीय पुष्प है, जो पर्वतमालाओं के निचले क्षेत्र में जंगली रूप में पाया जाता है। विशेषकर भारत के उष्णकटिबंधीय तथा उपोष्ण क्षेत्रों में बहुतायत से पाया जाता है। उद्यानों, उपवनों तथा पौध–प्रेमियों द्वारा ग्रीष्म तथा वर्षा ऋतु में मौसमी पौधे के रूप में अधिकांशतया क्यारियों, किनारे तथा गमलों में इसके सुंदर तथा विभिन्न आकार के सिंगल, अर्ध–डबल या डबल पुष्प तथा विभिन्न रंगों–सफेद, गुलाबी, गहरा लाल, नीला, चमकीला गुलाबी तथा कई रंगों के मिश्रण के कारण लगाते हैं।

इसे संस्कृत में दुश्पत्रीजाती तथा अन्य भारतीय भाषाओं में दुपाटी (बंगाली); हरा गाउरा (उड़िया); बन्टिल, टुआल, होलु, तातुरा, तिलफर, जुक (पंजाबी); गुलमेंधी, पम्टाम्बोल (गुजराती); कासीटुम्बाई (तमिल) तथा मेचींगम (मलयालम) कहते हैं। इसका वैज्ञानिक नाम *इम्पाटियन्स-बाल्सामिआना* है जो बाल्सम कुल बाल्सामिनेसी के अंतर्गत आता है। इम्पाटियन्स लैटिन 'इम्पा-टियन्स' से बना है अर्थात फल का शीघ्र स्फुटन। मात्र थोड़े ही दवाब से फल का स्फुटन हो जाता है। इसका नाम 'टच-मी-नाट' भी है।

यह एकवर्षीय, मांसल शाक है, जो 30-75 से.मी. ऊंचा होता है; तना- गांठदार, लालिमायुक्त; पत्तियां भालाकार होती हैं; पुष्प कक्षस्थ व छोटे वृंत पर निकलते हैं, बाह्यदल तथा पंखुड़ी रंगीन, 3 बाह्यदलों में एक लंबा दलपुट; पंखुड़ियां 5, 2-संयुक्त; फल एक-संपुट तथा आंशिक दबाव से ही फट जाते हैं। बीज शीघ्रतापूर्वक बाहर की तरफ बिखर जाते हैं तथा फल का बाह्य कवच मुड़ जाता है।

पौधे के स्वभाव, आकार, पत्तियां, पुष्प व पुष्प के होंठ के आकार तथा दलपुंज की लंबाई में असमानता होती है। पुष्प मार्च-जून (जनवरी-फरवरी में बुवाई किया हुआ) तथा जुलाई-सितंबर (मई-जून में बोये हुए) में फूलते हैं। बीजों की सीधे क्यारियों में बुवाई करनी चाहिए तथा अधिक अंकुरित पौधों को आपस में 30-45 से.मी. की दूरी रखकर निकाल देना चाहिए। पौधों के विकास तथा फूल आने के लिए आवश्यक है कि पौधशालाओं/गमलों में 3-4 पत्तियों वाले पौधे को रोपित किया जाए। बीज 6-7 दिनों में अंकुरित होकर, 15 दिनों में बुवाई के उपरांत रोपण योग्य हो जाते हैं। पौध का प्रसारण कलम द्वारा भी किया जाता है।

पौधों का विकास बलुई, हल्की तथा नम भूमि में जिसमें अधिक मृदा जैव अंश हो उपयुक्त होता है, लेकिन खुला, सूखा तथा पूर्ण सूर्य के प्रकाश वाला स्थान चाहिए। ग्रीष्म ऋतु में अधिक सिंचाई की आवश्यकता पड़ती है तथा वर्षा के समय उचित जल निकासी आवश्यक है। नीचे की पत्तियों तथा कक्षस्थ शाखाओं को, ऊपर शीर्ष व स्वस्थ शाखाओं को छोड़कर अन्य शाखाओं को निकाल देने से पौधों के समुचित विकास तथा बड़े आकार के पुष्प पाने में सहायता मिलती है।

पौधों को संपूर्ण छाया में लगाने तथा समुचित जल-निकास की व्यवस्था नहीं होने के कारण पौधों पर चुर्णिल आसिता रोग का संक्रमण हो जाता है। पाक्षिक अंतराल पर, गंधक के चूर्ण का छिड़काव, इसके बचाव हेतु किया जाना चाहिए।

कटे पुष्प हेतु अनुपयुक्त होता है। इसे प्रायः पूजा-पाठ में प्रयुक्त किया जाता है। बीज से तेल निकलता है, जो खाना बनाने तथा प्रकाश हेतु प्रयोग किया जाता है। पुष्प व पत्तियों का मेंहदी के स्थान पर रंग हेतु प्रयोग किया जाता है। कामेलिआ की भांति पुष्प

वाले प्रभेद में डबल पुष्प देखने में अति आकर्षक कई रंगों में होते हैं। जबकि अतिरिक्त नाटे थॅम्ब प्ररूप में बहुरंगी पुष्प पत्तियों के ऊपर निकलते हैं जो गमले, रोशनदान के बाक्सों एवं क्यारियों में लगाने हेतु उपयोगी होते हैं।

लाल पोस्त

लाल पोस्त का अंग्रेजी प्रचलित नाम गार्डेन पॉपी, कॉर्न पॉपी तथा डच पॉपी है। इसे अन्य भारतीय भाषाओं जैसे संस्कृत में रक्त पोस्ता; बंगाली में लाल पोश्तो; मराठी में ताम्बाडाखासखसा; गुजराती में लाला, लाल खसखस; तेलुगु में एरापोस्टकाया; तमिल में सिग्गुपुपोस्तका, शिवाप्पुगाशागाशा; कन्नड़ में केम्पु गासगासे, केम्पुखासाखासा, शिवाप्पुपोस्ताका, चेड़ी तथा मलयालम में छोवान्ना खसखसा कहते हैं। इसका वनस्पतिक नाम *पापावेर रोहियस* है, जो पापावेरेसी कुल का पौधा है। पापावेर एक लैटिन शब्द 'पापावेरिस' से बना है जो पॉपी का नाम है तथा 'रोहियस' कार्न पॉपी का साहित्यिक नाम है।

एकवर्षीय शाक, लगभग 30–60 से.मी. ऊंचा जिसमें दूध की तरह तरल पदार्थ निकलता है। पत्तियां विभिन्न आकार, नीचे समूह में, रोमिल, पक्षवत पृथक होती हैं। पुष्प लाल, नील–लोहित से लेकर, गहरे लाल तथा मध्य भाग में आंख जैसा गहरे भूरे रंग का दाग होता है। पंखुड़िया चक्राकार एक भ्रमि में असमान या डबल आकारों में होती हैं; पुंकेसर कई; वर्तिकाग्र गोल/तवानुमा होता है। फूल जाड़े के महीनों में आते हैं तथा पुष्प 8–10 सप्ताह तक लगे रहते हैं।

इसका देशज यूरोप तथा एशिया है। यह कश्मीर के जंगलों में बहुलता से पाया जाता है। इसकी खेती उद्यानों तथा पार्कों के अंदर क्यारियों तथा गमलों में शोभनीय बार्डर तथा प्रदर्शन हेतु की जाती है। पौधे के समुचित विकास के लिए हल्की रंध्रयुक्त बलुई दोमट मृदा जिसमें गोबर की खाद या पत्ती की खाद मिली हो, उपयुक्त होती है। बीज की सीधे क्यारियों में बुवाई करते हैं तथा विकास के बाद पौधों की दूरी लगभग 25–40 से.मी. रखते हैं।

इसके कई प्रभेदों में, 'शरले पॉपी', का पुष्प बड़ा तथा आकर्षक रंग का होता है तथा पंखुड़ियों के आधार पर कोई दाग अथवा धब्बा नहीं होता है। प्रभेद 'पीओनी–फ्लावर'– पुष्प डबल, जिसके फूल डबल पीओनी की तरह तथा कई रंग तथा रंगों के मिश्रण में होते हैं। इसीलिए नयनाभिराम दृश्य हेतु इसकी खेती करते हैं। इसका उद्यान विज्ञान में प्रथम प्रवेशन 1886 में किया गया।

फल (संपुट) बलवर्धक तथा पौधे का दूध निद्राकारी तथा शांतिकर होता है।

अफीम या पोस्तः अफीम या पोस्त को अंग्रेजी में ओपियम पॉपी या ह्वाइट पॉपी कहते हैं। इसका वनस्पतिक नाम *पापावेर सोम्नीफेरुम* है। अन्य प्रादेशिक नाम पोस्तो (बंगाली); खस-खस, पोस्ता (मराठी और गुजराती); अभिनी, गासालु (तेलुगु); गाशागाशा, पोस्ताला (तमिल) तथा अफीम, खासाखासी, मलयालम में हैं। इसकी खेती मुख्यतया इसके दूधनुमा तरल द्रव्य, जिससे अफीम बनती है के कारण ही की जाती है। इसकी खेती भारत के विभिन्न भागों में विभिन्न प्रांतीय आबकारी विभाग के अधीनस्थ जिला अफीम अधिकारी की अनुमति से की जाती है। अफीम तथा बीज (पोस्त) अति निद्राकारी अथवा बेहोश करने वाला तथा शांतिकर होता है, जिसे दर्द निवारण हेतु दिया जाता है। इसे पेचिस या अतिसार तथा पेट संबंधित बीमारियों में भी दिया जाता है। संपूर्ण रूप से खिला सफेद पुष्प देखने में बहुत सुंदर लगता है।

इसका देशज ज्ञात नहीं है लेकिन भूमध्यसागरीय देशों तथा मध्य-पूर्व एशिया में पाया जाता है। इसका प्रथम प्रवेशन भारतीय वनस्पति उद्यान, हावड़ा में 1794 के पूर्व ही हो गया था।

हॉलीहॉक

हॉलीहॉक या गुलखेरा शीत ऋतु में फूलने वाला एक बहुत प्रचलित तथा मौसमी फूल है। यह भारत में प्रायः समस्त उद्यानों में इसके विभिन्न रंग एवं तुरही जैसे पुष्प के कारण लगाया जाता है। इसका वनस्पतिक नाम *आल्थीआ रोजीआ* है जो मालवेसी कुल में आता है। आल्थीआ ग्रीक शब्द 'अल्थोस' या 'आल्थीआमो' से बना है, जिसका अर्थ है निरोग या घाव भरना, तथा 'आल्थिआ' जंगली या दलदली भिंडी का ग्रीक नाम है तथा रोजीआ का अर्थ इसके गुलाबी रंग के पुष्प से है।

इस पौधे का मूल निवास (देशज) चीन या एशिया माइनर है जिसका प्रथम प्रवेशन उद्यान विज्ञान में 16 वीं शताब्दी के उत्तरार्ध में किया गया। तत्पश्चात अन्य देशों में वितरित किया गया लेकिन भारतीय वनस्पति उद्यान हावड़ा में 1845 के बाद ही इसका प्रथम प्रवेशन हुआ। तदनन्तर इसे भारत के अन्य उद्यानों में लगाया गया। लंबे स्पाइक पर निकले सुंदर पुष्प के लिए इसे सर्वत्र ही लगाया जाता है।

यह एक शाक है, जो पर्वतीय क्षेत्रों में बहुवर्षीय तथा मैदानों में द्विवर्षीय होता है फिर भी यह एकवर्षीय मौसमी फूल ही माना जाता है। यह रोमिल; 2.5 से.मी. ऊंचा तथा 60-120 से.मी. के घेरे में फैलता है। पत्तियां बड़ी, खुरदरी, गोल, हृदयाकार, लहरदार-

कोणीय या 5–7 पालियुक्त; पुष्प बड़ा, अर्द्ध अवृन्त पत्तियों के कक्ष में 6–12 से.मी. आकार में तथा बाह्यदल पुंज़ के नीचे 6–9 सहपत्र; दलपुंज सफेद, गुलाबी, लाल, गहरा नीला, बैंगनी इत्यादि, विभिन्न रंगों के सिंगल अथवा अर्द्ध–डबल या डबल पुष्प में; फल एक- संपुट होता है जिसमें वृत्ताकार चपटे काले बीज होते हैं। मैदानी भागों में पुष्प फरवरी–मई तक लेकिन पर्वतीय भागों में प्रायः पूरे वर्ष भर आते हैं तथा फल मार्च–जून तक आते हैं।

पौधे के समुचित विकास के लिए सूर्य का प्रकाश आवश्यक होता है। भुरभुरी मृदा तथा उचित जल निकासी तथा जीवांश पदार्थ की बहुलता वाली भूमि पौधों के विकास तथा अच्छे फूल के लिए नितांत आवश्यक है। साधारणतया बीज की सीधे क्यारियों में 50–60 से.मी. की दूरी पर बुवाई करके मैदानी भागों में सितंबर–अक्टूबर तथा पर्वतीय भागों में फरवरी–मार्च में पौध को लगाया जाता है। यथा–स्थान लगाए गए पौधों की तुलना में रोपित किए हुए पौधे कमजोर होते हैं। बीजों में अंकुरण एक सप्ताह में होता है तथा दो सप्ताह के उपरांत पौधे रोपण योग्य हो जाते हैं। अधिक तेज हवा वाले स्थानों में पौधों को उचित सहारे की आवश्यकता पड़ती है।

हॉलीहॉक को प्रमुखतया शाकीय बॉर्डर की पिछली पंक्तियों या बॉर्डर के रूप में या दिवार के सामने समूह में नयनाभिराम दृश्य हेतु लगाते हैं। खिले फूलों की ताज़गी कम समय तक रहने के कारण कटे पुष्प हेतु अनुपयुक्त होता है। पुष्प से रंग निकलता है जिसका अम्लीय तथा क्षारीय परीक्षण संकेतक हेतु प्रयोग होता है तथा पुष्प का प्रयोग छाती संबंधित बीमारियों में किया जाता है।

गेंदा

गेंदा पुष्पीय मौसमी पौधों के अंतर्गत एक बहुत ही प्रचलित पुष्प है। इसकी खेती प्रमुख रूप से इसके पुष्प की धार्मिक व सामाजिक कार्यों में भारी मांग के लिए की जाती है। इसको अंग्रेजी में मैरीगोल्ड कहते हैं। इसका वनस्पतिक नाम *टाज़ेटेस* एस्टरेसी है जो एस्टेरेसी कुल में आता है। 'टाजेटेस' टाजेस नामक देवता के नाम पर आधारित है जो गुरु बृहस्पति के पौत्र हैं।

इसकी कुल 60 जातियां पाई जाती हैं जो प्रायः मैक्सिको से आर्जेन्टिना की देशज हैं, जिनमें से केवल 5 जातियों की खेती भारत में होती है। इनमें अफ्रीकी गेंदा तथा फ्रेंच गेंदा काफी प्रचलित है। भारतीय वनस्पति उद्यान हावड़ा में इनका प्रथम प्रवेशन 1794

के पूर्व ही हुआ था। अफ्रीकी गेंदे को आज़ेटेक मैरीगोल्ड कहते हैं, इसका वनस्पतिक नाम *टाजेटेस एरेक्टा* है, इसका अन्य हिंदी नाम गुलतेरा भी है। संस्कृत में इसका नाम स्थलपुष्प, सोना, गांडगा है, अन्य भारतीय भाषाओं जैसे बंगाली में गेंदा; उड़िया में गेंदी; गुजराती में गुलझारो, मखनाला; मराठी में झेंडु; तेलुगु में बन्टीचेट्टु; तमिल में तुलुक सामांडी; कन्नड़ में सेक्कामाशामन्टिगे, चन्दुमल्लिगे; मलयालम में चेन्दुमल्ली; मराठी में गुल-जाफारी, मखमल, टांग्ला, मंटोक तथा पंजाबी में गेंदा कहते हैं।

यह एकवर्षीय, अर्ध-सहिष्णु, सीधा, 60-70 से.मी. ऊंचा पौधा होता है। पत्तियां-पिक्षकी, कटी हुई जिनके कटे हुए भाग 1-5 से.मी. लंबे होते हैं। पुष्प एकाकी, 5-10 से.मी. व्यास में, बाह्य सहपत्र चक्र संयुक्त तथा प्यालेनुमा होता है। प्रबल पुष्पावलि वृंत पर हेड के ठीक नीचे सूजन होती है; रश्मियां-बहुत लंबी, पंजे जैसी, कभी तीन होंठदार या पंखदार, पीली, संतरे की तरह पीली, सुनहरी पीली, नारंगी, हल्की पीली या सफेद रंग की होती हैं। एकीन (फल) 6-7 शल्कीय रोमगुच्छ लिए हुए होते हैं।

यद्यपि इसे अफ्रीकी गेंदा कहते हैं लेकिन इसका स्वदेश मैक्सिको है। साधारण प्रभेद की तुलना में एफ-1 संकर प्रजाति अधिक सुंदर होती है, जिसके पुष्प कई समूह तथा विभिन्न रंग, बनावट तथा आकार व माप के होते हैं। जिनमें प्रभेद येलो क्लाइमॉक्स, गोल्डेन क्लाइमॉक्स, अपोलो, ऑरेंज क्लाइमॉक्स, गोल्डन जुबली, डायमंड जुबली, मून शॉट, फायर लेडी, गोल्ड लेडी, ऑरेंज लेडी प्रमुख हैं तथा अविरल अथवा ठोस प्रभेदों में; गोल्डेन एज, स्पन गोल्ड, ड्वार्फ क्यूपिड मिक्सड तथा स्टेंडर्ड या ऊंचे प्रभेदों में सुपर जैक ऑरेंज तथा क्रेकर जैक मिक्सड, इत्यादि प्रमुख हैं।

इसकी खेती तथा प्रभेद के आधार के अनुसार 16-18 टन पुष्प प्रति हेक्टेयर पैदा होते हैं। पुष्प का उपयोग धार्मिक अनुष्ठानों व माला के रूप में किया जाता है। पौधे का प्रयोग गठिया तथा वात रोग, सर्दी व पुरानी खांसी में; जड़ रेचक, वृक्क संबंधित रोगों तथा मांसपेशियों के दर्द में; पत्तियों का रस कान दर्द में तथा पुष्प रश्मियां नेत्र रोग तथा पुराने घावों के उपचार में दी जाती हैं।

फ्रेंच या छोटे गेंदे का सामान्य अंग्रेजी नाम फ्रेंच मैरीगोल्ड है। इसे संस्कृत में टाउग्ला; हिंदी या बंगाली में गेंदा, उड़िया में गेंदू, माचामुल; मराठी में गुलजाफिनी; तमिल में तुलुकमल्ली छेड़ी कहते हैं। इसका वनस्पतिक नाम टाजेटस पाटुला है। झाड़ीनुमा, छोटा, एकवर्षीय, अत्यधिक सुगंधित, 30-45 से.मी. ऊंचा पौधा होता है। पत्तियां पिक्षकी तथा कटावदार, 5-10 से.मी. लंबी, प्रत्येक कटा भाग 1-3 से.मी. लंबा, रेखाकार तथा भालाकार होता है। पुष्प एकल हैड, 3-4 से.मी. व्यास में, सिंगल अथवा डबल, अफ्रीकी गेंदे की तुलना में छोटा, पीला, सुनहरा, मुर्चीला-लाल, महोगनी की लकड़ी के रंग जैसा, नारंगी, गहरा लाल तथा कभी-कभी धब्बेदार अथवा रेखांकित या कई रंग के धब्बेदार होते हैं।

इसका भी देशज मैक्सिको है, लेकिन सामान्यतया संपूर्ण भारत में शाकीय बार्डर, रोशदान के बक्सों, उद्यान, देवालय के निकट तथा बड़े नगरों और बाजारों के आस-पास व्यवसायिक ढंग से इसकी खेती की जाती है। कभी-कभी स्वयं ही पास-पड़ोस में उग आते हैं। 8-12 टन पुष्प प्रति हेक्टेयर पैदा होते हैं जो खेती की विधि, प्रभेद तथा खाद की मात्रा पर निर्भर करता है।

सामान्य छोटे, डबल प्रभेद में यलो क्राउन (स्प्राई), टांगरीन, गोल्डेन बॉल, हारवेस्ट मून, हनी कॉम्ब (क्रस्टेड), हनीमून (क्रस्टेड); अतिरिक्त छोटे डबल में पेटाइट गोल्ड तथा पेटाइट ऑरेन्ज जबकि सिन्नाबार (न्यू), सुसाना (न्यू), लेमन किंग छोटे तथा एक रश्मीय पुष्प वाले प्रभेदों में प्रमुख हैं।

पुष्प का प्रयोग सामान्य रूप से सजाने, सामाजिक अनुष्ठानों तथा धार्मिक पूजा, कटे पुष्प तथा माला बनाने हेतु किया जाता है। पुष्प से एक प्रमुख सुगंधित इत्र (गेंदा इत्र) बनता है। जड़ तथा बीज रेचक होते है, पुष्प का क्वाथ पित्त विदारक के रूप में दिया जाता है तथा पुष्प हैड का रस सड़न प्रतिरोधक होने के कारण कटे स्थान तथा घावों पर लगाया जाता है।

साधारणतया गेंदा दिसंबर-जून में प्रचुरतापूर्वक खिलता है लेकिन कम संख्या में फूल वर्षभर आते हैं। मैदानी भागों में बीज अगस्त-सितंबर तथा पर्वतीय क्षेत्रों में मार्च-अप्रैल में बोते हैं। कभी-कभी पौध प्रसारण नई शाखाओं की कलम को भुरभुरी भूमि में लगाकर भी करते हैं। गेंदे की सफल खेती किसी भी प्रकार की मृदा में की जा सकती है, लेकिन भुर-भुरी बलुई दोमट मृदा विशेष उपयुक्त होती है। बोने के 4-6 सप्ताह बाद 3-4 पत्तियों वाली पौध को खूब अच्छी प्रकार तैयार खेत में लगभग 40 X 30 से.मी. की दूरी पर अफ्रीकी गेंदा तथा 20 X 15 से.मी. की दूरी पर फ्रेंच गेंदा लगाना चाहिए। 40 कि.ग्रा. नत्रजन तथा 200 कि.ग्रा. फॉस्फोरस प्रति हेक्टेयर देने से पौधों का समुचित विकास होता है तथा प्रचुर मात्रा में फूल आते हैं।

कभी-कभी पौधे शाकाणु ग्रसित झुलसा रोग द्वारा प्रभावित हो जाने से पत्तियों पर दाग हो जाते हैं तथा रंगविहीन होकर गिरने लगती हैं; गंधक की धूल का छिड़काव लाभप्रद होता है। पौधों पर लाल मकड़ी के प्रभाव से बचाव हेतु केल्थान का छिड़काव करते हैं; रोमिल इल्ली से बचाव थियोडॉन से; फुदका-मेलाथियॉन छिड़काव से आवरण घोंघे से बचाव के लिये मेटालोडेहाइड की धूल का छिड़काव करते हैं। पौधे का जड़ सड़न रोग, पर्व लांछन अथवा टिक्का रोग, पत्तियों के झुलसा रोग तथा चुर्णिल आसिता से बचाव हेतु कवक प्रतिरोधी दवाओं का छिड़काव करते हैं।

सूरजमुखी

सूरजमुखी का सामान्य प्रचलित नाम कॉमन सन फ्लावर, (संस्कृत) सूर्यामुखी; (हिंदी, बंगाली तथा गुजराती) सूरजमुखी, सूर्याफूल; (मराठी) सूरजमुखा; (तेलुगु) आदित्य भक्ति चेट्टू; कन्नड़, मलयालम तथा तमिल में सूर्यकांति है। इसका वनस्पतिक नाम *हेलीआन्थुस आन्नुयुस* है। यह एस्टर कुल कॉम्पोजिटी या एस्टेरेसी का पौधा है।

'हेलीआन्थुस' की उत्पत्ति ग्रीक शब्द 'हेलिआन-थुस' 'हेलिओस', अर्थात सूर्य तथा अथोस, एक पुष्प यानी जिसका फूल सूरज की भांति है तथा 'आन्नुयुस' का अर्थ है एकवर्षीय पौधा। इसका देशज अमेरिका है। इसको भारतीय उद्यानों में अलंकृत पुष्प के लिए लगाते हैं। इसके बीजों से खाद्य तेल प्राप्त होता है। जिसके लिए इसकी खेती की जाती है।

यह काष्ठीय, रोमिल,एकवर्षीय तथा मजबूत, सीधा; तना 60 से.मी. से 3 मीटर ऊंचा तथा 90 से.मी. तक फैला होता है। पत्तियां एकान्तर तथा त्रिकोणाकार, अंडाकार, निशिताग्र, खुरदरी तथा रोमिल, कटी हुई होती है; कटाव लगभग 30 से.मी. लंबे होते हैं। पुष्प हैड तवे के समान तथा सूरज की भांति, 10-50 से.मी. के घेरे में, भूरा-नील लोहित, नालवत; पुष्प रश्मियां पीली तथा सहपत्र-काले, रश्मि पुष्पक नारंगी तथा पीले रंग के होते हैं।

पुष्प अक्टूबर-मार्च में खिलते हैं। इसका प्रसारण बीज द्वारा किया जाता है, बीज को खुले स्थान में 30 से.मी. की दूरी पर, 2-3 बीजों को एक ही स्थान पर लगभग 1.5 से.मी. गहराई तक बुवाई करते हैं। घने अंकुरित पौधों को निकाल देते हैं। ऊंचे प्रभेद वाले पौधों की आपस की दूरी 60 से.मी. तथा छोटे प्रभेद वाले पौधों को 30 से.मी. की दूरी पर रखते हैं।

इसकी कई संकर प्रजातियां जो विभिन्न रंगों, पीली, लाल या नारंगी, जिसका मध्य भाग बड़ा या काला होता है एवं डबल पुष्प वाले प्रभेद भी विकसित किए गए हैं। इनमें प्रमुख हैं 'सनबर्स्ट' जो लगभग 120 से.मी. ऊंचा, बहुशाखान्वित होता है। इसका तना पतला; पुष्प हल्के बसंती से ताम्र तथा लोहित लाल होता है। यह कटे पुष्प के लिए उपयोगी होते हैं। 'जायंट येलो' का पुष्प बड़ा तथा पुष्प हेड एकल, रंग पीलापन लिए सफेद तथा पीला, ताम्र-गुलाबी से लोहित-लाल रंग का होता है तथा दो मीटर तक ऊंचा होता है। 'सन गोल्ड' एक छोटे ऊंचाई का प्रभेद है, इसका पुष्प डबल तथा चमकीला पीला होता है।

हेलीआन्थुस आन्नुयुस प्रभेदः 'ड्वार्फ सनबर्स्ट' की पत्तियां तथा पुष्प छोटे होते हैं तथा ये क्यारियों के लिए उपयुक्त होते हैं। इसकी खेती बड़ी ही आसानी से की जाती है। पौध से पौध की दूरी उचित होनी चाहिए तथा सिंचाई एक नियमित अंतराल में आवश्यक है। यह क्यारियों में मौसमी पुष्प हेतु लगाया जाता है, इसका उपयोग कटे पुष्प हेतु किया जाता है। बीज से खाद्य तेल निकाला जाता है तथा खली चिड़ियों को खिलाई जाती हैं।

आलामांडा – पोर्च के ऊपर

आलामांडा – पुष्प

आलामांडा – प्रभेद विलिमासी

गोल्डन ट्रम्पेट बुश – पुष्प

अपराजिता – पुष्प तथा फलियां

अपराजिता – सफेद पुष्प

अपराजिता – पुष्प

बैंगनी अपराजिता – पुष्प

अपराजिता – नीले डबल पुष्प

अपराजिता – सफेद डबल पुष्प

अपराजिता वृक्ष

अपराजिता पुष्प

मुल्लुता – पुष्प

बुश क्लॉक वाइन – पुष्प

रेलवे क्रीपर लता

रेलवे क्रीपर – पुष्प

लताएं

आलामांडा

आलामांडा को गोल्डेन ट्रम्पेट फ्लावर व काम्पानील्या भी कहते हैं। भारतीय भाषाओं में हारकाकरा (बंगाली); कलम्बा (मलयालम); अलेमांडाथेगा (तेलुगु); अलामान्डागिडे, हालादिलु (कन्नड़); जाहारी, सोन्तक्का, पीविलीकनेर (मराठी) तथा कोनान्गनी (कोंकण) कहते हैं। इसका वैज्ञानिक नाम आलामान्डा काथार्टिका है जो डौगबेन कुल अपोसाइनेसी में आता है।

'*आलामांडा*' नाम डा० फादर अलमंड, प्रोफेसर (प्राकृतिक इतिहास) की प्रतिष्ठा में दिया गया है जो 18 वीं शताब्दी के अंतिम चरण में लेडेन में अध्यापक थे। *काथार्टिका* लैटिन शब्द 'काथार्टियस' से संबंधित है जिसका अर्थ इसके औषधिय गुण–मूत्र सुगमता पूर्वक बाहर करने से है।

यह मूलरूप से ब्राजील का पौधा है, जो भारतीय वनस्पति उद्यान में पहली बार गुयाना से सन् 1803 में डब्लू. हामिल्टन द्वारा लाया गया, तदनुपरांत भारत के अन्य भागों में उद्यानों, पार्कों, आवासीय स्थानों पर इसकी चमकीली सुंदर पत्तियों; बड़े, कीपाकार, सुनहरे–पीले पुष्प हेतु लगाया जाता है।

यह झाड़ीनुमा, विशाल, सदाबहार पौधा है; शाखाएं घुमावदार तथा चिकनी होती हैं। पत्तियां 12 से.मी. तक लंबी, मोम की तरह चिकनी, विपरीत, 3–4 भ्रमिक, अभिअंडाकार, भालाकार, दोनों किनारों पर नुकीली, आधार बहुत छोटा तथा नीचे की शिराओं को छोड़कर चिकनी होती हैं। पुष्प बड़े, कुप्पीकार, चमकीले पीले या सुनहरे–पीले, अंदर की तरफ गहरे, धारीदार जो पहले शीर्षस्थ, ससीमाक्षी, संयुक्त रेसीम में तदंतर कक्षस्थ निकलते हैं; फूल 4–8 से.मी. व्यास में होते हैं। पुंकेसर 5, आपस में संयुक्त होते हैं। फल संपुट, गोलाकार होता है जिसके बाह्य भाग पर मुलायम कटीले उभार होते हैं, अंदर कई चपटे व पंखदार बीज होते हैं। फल कम ही दिखाई पड़ता है।

पुष्प जुलाई-दिसंबर तक आते हैं। पौध का प्रसारण आसानीपूर्वक तने के कृंतन तथा दाब विधि द्वारा किया जाता है। सहिष्णु प्रकृति के कारण इसे किसी भी मृदा में सुगमतापूर्वक लगाया जा सकता है। पुष्प आने के बाद कृंतन करना चाहिए, गोबर की खाद तथा नियमित सिंचाई करने से पौधों में विकास तथा पुष्प-क्षमता अधिक हो जाती है। इसे मेहराब, लता मंडप के ऊपर एवं शोभनीय अलंकृत झाड़ियों के मध्य, हरियाली के मध्य या किनारे पर विशिष्ट पौध के रूप में एवं घरों के सामने लगाते हैं। 'विलियामसी' प्रभेद के पुष्प डबल होने के कारण कुछ उद्यानों में प्रवेशन किया गया है। इसके कई प्रभेद, बाह्य संरचना के आधार पर देखे जा सकते हैं। कुछ अन्य जातियां जो उद्यानों में लगाई जाती हैं उनका वर्णन नीचे किया गया है।

गोल्डन ट्रम्पेट बुश : इसका वनस्पतिक नाम आलामांडा नेरीफोलिआ है। प्राय: लगभग उच्छीर्ण, सदाबहार, झाड़ीनुमा तथा शाखाएं बेलनाकार, नीचे की तरफ काष्ठीय, चिकनी होती हैं, नये पौधे अल्प रोमिल होते हैं। पत्तियां 2-5 की संख्या में भ्रमिक, वृत्ताकार, गहरे रंग की होती हैं। पुष्प बड़े, देखने में सुंदर, पीले रंग के, शीर्षस्थ, संयुक्त रेसीम में निकलते हैं। दलपुंज नलिका 5 से.मी. लंबी तथा नीचे की तरफ फूली होती है, दल 5 भागों में विभक्त, चक्राकार या दीर्घवृत्ताकर तथा फैले हुए; दलपुंज नलिका के भीतर भूरी-लाल या नारंगी-लाल रंग की धारियां होती हैं।

फूल आने का समय जुलाई-नवंबर है। पौध प्रसारण कलम व दाब विधि से किया जाता है। इसका देशज ब्राजील है, साधारणतया इसे उद्यानों में गमले के अंदर, झाड़ी की पट्टियों में, तार की जालियों के ऊपर, खंभों, मेहराबों, इत्यादि के रूप में लगाते हैं। दोमट मिट्टी तथा जीवाश्म युक्त पत्ती की खाद के मिश्रण को फरवरी-मार्च में देकर नियमित सिंचाई करने से पौध का समुचित विकास होता है एवं आकर्षक पुष्प आते हैं।

प्रभेद-चितकबरी पत्तियों वाला *वेरीयागाटा* सुंदर व आकर्षक होने के कारण उद्यान प्रेमियों द्वारा आजकल लगाया जाता है।

नील लोहित आलामांडा : इसका वनस्पतिक नाम *आलामांडा वीओलासीआ* है। यह एक उच्छीर्ण, झाड़ीनुमा, लगभग 2 मीटर ऊंचा पौधा है; शाखाएं बेलनाकार व नये पौधे रोमिल होते हैं। पत्तियां अंडाकर, खुरदरी रोमिल, 8-10 से.मी. लंबी एवं भ्रमिक होती हैं। फूल-ससीमाक्ष शीर्षस्थ, बड़े; रंग-नील-लोहित से लाल-नीले रंग के; दलपुंज नलिका 6 से.मी. तक लंबी, संकीर्ण, मध्य भाग में दबी या सिकुड़ी हुई, ऊपरी भाग नील-लोहित, मध्य भाग हरापन लिए पीला तथा निचला भाग लाल-भूरा होता है। पुष्प के अवयव फैले हुए, 4-6 से.मी. व्यास में, नीचे की नलिका पतली एवं ऊपर की तरफ घंटाकार, जो ऊपर की तरफ 5 चक्राकार-अंडाकार भागों में बंटे होते हैं।

फूल खिलने का समय अप्रैल-दिसंबर है। पौध प्रसारण तने के कृंतन से किया जाता है, लेकिन गोल्डन ट्रम्पेट (आलामांडा) की रोपण द्वारा तैयार पौध बहुत ही अच्छे ढंग से बढ़ती है।

पौधे के समुचित विकास व अधिक पुष्प लेने हेतु बेहतर जलनिकास व सूर्य का प्रकाश नितांत आवश्यक है।

जड़ें मूत्र रोग व मियादी ज्वर में प्रयोग की जाती हैं।

अपराजिता

अपराजिता या नीलकंठ का सामान्य अंग्रेजी नाम बटरफ्लाई-पी है। इसे मुसेल-शेल-क्लाइंबर भी कहते हैं तथा कुछ भारतीय भाषाओं में अपराजित (बंगाली); गोकर्णा (मराठी); कक्कानम या कक्काटम (तमिल) कहते हैं। इसका वैज्ञानिक नाम क्लीटोरिआ टर्नाटीआ है जो मटर या दाल कुल फाबेसी में आता है।

'क्लीटोरिआ' एक प्राचीन नाम है जिसका कोई अर्थ या महत्व नहीं है तथा 'टर्नाटीआ', मुलक्कास में स्थित टर्नाटे नाम के द्वीप पर आधारित है। यह भारत में सर्वत्र पाया जाता है तथा उद्यानों में लगाया जाता है। इसे बाड़ के ऊपर भी लगाया जाता है। इसका फूल मां काली को समर्पित किया जाता है तथा इसका संबंध शनि ग्रह से होने के कारण यह ज्योतिष विद्या में भी महत्व रखता है।

यह एक सुंदर, बहुवर्षीय लता है, जिसका तना घुमावदार तथा रोएंदार होता है। पत्तियां एकांतर, पक्षवत, संयुक्त; पत्रक 5-7, अंडाकार या आयताकार, मध्य-शीर्षस्थ बड़े आकार में होते हैं। पुष्प चमकीला नीला या गुलाबी, भीतर की तरफ केंद्र में नारंगी अथवा सफेद रंग के निशान होते हैं तथा मटर के समान होता है। फली 5-10 से.मी. लंबी, शीर्षस्थ भाग में मुड़ी हुई चोंच के समान व लगभग चपटी, आंशिक रूप से रोमिल होती है; 6-10 काले या भूरे चित्तीदार बीज होते हैं।

पुष्प की पंखुड़ियां कई (डबल), नीले या गुलाबी रंग में व साधारण व डबल पुष्प सफेद रंग में भी होते हैं, यद्यपि डबल पुष्प नीले रंग के आकार में कुछ बड़े होने के साथ-साथ अधिक आकर्षक भी होते हैं। पुष्प प्रायः वर्षभर आते हैं लेकिन जुलाई-नवंबर में अधिक मात्रा में आते हैं तथा फलन सितंबर-जनवरी में होता है।

पौधों को किसी भी उपजाऊ मृदा में लगा सकते हैं, लेकिन उचित जलोत्सरण के साथ-साथ जल-जमाव वाली भूमि पौध विकास तथा फूल के लिए अनुपयुक्त होती है।

साधारणतया बीज को वर्षा के आरंभ होने के पूर्व रोपित करने से कुछ ही दिन में अंकुरित हो जाता है। पौध के समुचित विकास तथा बढ़ाव हेतु उचित सहारा अति आवश्यक है। पौध लगाने के 3 माह पश्चात ही फूल आने प्रारंभ हो जाते हैं, जो सूर्योदय के पश्चात खुलने लगते हैं। फलियों तथा बीज में कीटों के कुप्रभाव से बचाव हेतु कीटनाशक दवाओं का छिड़काव आवश्यक है।

पौधे का औषधीय महत्व होने के कारण जड़ को मूत्र रोग तथा जड़ व बीज रेचक के रूप में दिये जाते हैं। पुष्प व बीज से नीला रंग भी बनाया जाता है। फूलों से तैयार माला मां काली व शनिदेव को अर्पित की जाती है।

वृक्ष अपराजिता: इसका सामान्य अंग्रेजी नाम ट्री क्लीटोरिआ या ट्री बटरफ्लाई-पी है तथा बंगाली में अपराजिता कहते हैं। इसका वनस्पतिक नाम *क्लीटोरिआ फेअर चाइल्डियानम* है। इसका पुष्प मटर अथवा अपराजिता की तरह ही होता है, लेकिन यह अपने वृक्ष होने के कारण विलक्षण है। यह वृक्ष भारतीय वनस्पति उद्यान, हावड़ा में है। इसका उत्पत्ति स्थान उष्णकटिबंधीय अमेरिका है।

यह एक सदाबहार वृक्ष है, शाखाएं फैली हुई तथा मूलकांड घुमावदार होता है। इसका छत्रक देखने में सुंदर होता है। पत्तियां चर्मिल, मोटी, 3 पत्रकों के साथ दीर्घवृत्ताकार होती हैं। पुष्प दल मोटे, पुष्प- ध्वज बैंगनी तथा मध्य में गहरे व किनारे पर लाल रंग के होते हैं। पुष्प जुलाई -सितंबर में आते हैं जो हरी-हरी पत्तियों के मध्य अति सुंदर लगते हैं; फलियां लंबी, हल्के पीले रंग की सितंबर- जनवरी तक आती हैं। पौध प्रसारण तने के कृंतन व हवाई बांध (दाब) द्वारा किया जाता है।

मुल्लुता

मुल्लुता को क्लाक वाइन या घड़ी लता तथा *थन्बर्जिया* कहते हैं। इसका नामकरण कॉर्ल पीटर थन्बर्ज (1743-1828) के नाम पर किया गया है। वे स्वीडन के रहने वाले तथा लीनीयस के शिष्य थे, उन्होंने जापान तथा दक्षिण अफ्रीका की यात्रा की थी। यह थन्बर्जियेसी कुल (पहले आकान्थेसी) का पौधा है। इस वंश की कुल 75 जातियां उष्णकटिबंधीय क्षेत्र, विशेषकर अफ्रीका में पाई जाती हैं, जिनमें *थन्बर्जिया ग्रॉन्डीफ्लोरा* प्रमुख है जो बहुतायत से पूर्वी बंगाल, बिहार, मेघालय तथा मणिपुर में पाया जाता है। इसे सामान्य रूप से मैदानी भागों में, विशेषकर लता मंडप, वृक्ष तथा दिवारों पर इसकी मोटी पत्तियों एवं बड़े, आकर्षक व निलंबी पुष्प हेतु लगाया जाता है। *ग्रांडीफ्लोरा का*

तात्पर्य लैटिन भाषा में बड़े फूल से है। इसे प्रादेशिक भाषाओं में नल-लता (बंगाली); कुकुआलोती (असमी) तथा पंजाबी में कानेसी कहते हैं।

यह एक बहुत विशाल, मजबूत, काष्ठिय, सदाबहार लता है; तना चार कोणीय या धारीदार; पत्तियां-विपरीत, चौड़ी, अंडाकार, कोणयुक्त, हत्थाकार, दंतिल अथवा पालित, खुरदरी व 7 शिरा युक्त होती हैं, इनका माप लगभग 10 X 7 से.मी. होता है तथा ये फूली हुई गांठों पर निकलती हैं। पुष्प आकर्षक, चमकीले नीले या सफेद, निलंबी, प्रारूपिक असीमाक्ष में होते हैं जिनके दो मखमली कोर होते हैं; दलपुंज बड़ा; पुष्प नलिका 6 से.मी. लंबी, आधार त्रिकोणाकार जिसका अंत 5 पालितों में होता है; जो 7 X 7 से.मी. व्यास में, हल्के या गाढ़े नीले या सफेद रंग का होता है, साधारणतया आधे से अधिक निचला भाग सफेदी लिए हुए तथा पालित नीले रंग में; भीतर की नलिका में पीली व नीली धारियां होती हैं। फल एक-संपुट, चिड़िया के सिर की तरह होता है। फल साधारणतया शीत क्षेत्रों में आते हैं। पुष्प मार्च-नवंबर में आते हैं।

लता विशालकाय एवं विकास अधिक होने के कारण इसे बड़े मजबूत सहारे की आवश्यकता पड़ती है; सूखी हुई टहनियां व सूखे व मुर्झाए पुष्प डालियों को काटकर निकाल देने से पौधे के अच्छे आकार तथा विकास के साथ पुष्प भी सुंदर आने लगते हैं। पत्तियों का क्वाथ उदर-शूल में देने तथा पत्तियों को फोड़े के ऊपर लगाने से लाभ मिलता है।

बुश-क्लॉक-वाइन : इसका वानस्पतिक नाम *थन्बर्जिया इरेक्टा* है। यह पश्चिम अफ्रीका का पौधा है। इसे क्यू (लंदन) से लाकर 1859 में भारत में प्रवेशन किया गया था। इसकी खेती भारत के प्रायः सभी उद्यानों में अच्छी बाड़, अकेले या झाड़ियों की पट्टियों में सुंदर पुष्प हेतु की जाती है। इसके पौधों से वांछित सुंदर आकृतियां छांटकर बनाई जाती हैं। *इरेक्टा* का लैटिन अर्थ उच्छीर्ण स्वभाव है।

यह झाड़ी है, शाखाएं उच्छीर्ण होती हैं; पर्णपाती; चिकना, 1.5 मी. ऊंचा; पत्तियां-विपरीत, साधारण, अंडाकार, छोटे वृंत पर, नुकीली, किनारा अछिन्न या मध्य में दंतिल होता है। पुष्प एकाकी या जोड़े में, कक्षस्थ, सपुष्पवृन्त; दलपुंज के पालित नीले-बैंगनी, 3 से.मी. तक लंबे, पुष्प नलिका वक्राकार व पीले-सफेद रंग की होती है, बाह्य दलपुंज छोटा जिसमें 10 दंतिल होते हैं। फल एक संपुट होता है जो साधारणतया मैदानी भागों में नहीं दिखाई पड़ता।

पुष्प अक्टूबर-जनवरी में आते हैं लेकिन थोड़े पुष्प वर्षभर देखे जा सकते हैं। पौध प्रसारण तने के कृंतन द्वारा वर्षा ऋतु में किया जाता है। यह खाद मिश्रित मृदा में अच्छी प्रकार बढ़ता है। इसके विकास तथा प्रचुर पुष्प हेतु खुले स्थान, अच्छे प्रकाश की आवश्यकता होती है, वैसे इसे अर्ध छायादार स्थान में भी लगाया जा सकता है।

प्रभेद *इरेक्टा* अल्बा का पुष्प सफेद होता है, लेकिन इसकी खेती उपरोक्त जाति की तुलना में कम होती है।

आइपोमिआ

आइपोमिआ वंश का नाम ग्रीक भाषा के शब्द 'इपोस' से बना है जिसका अर्थ एक प्रकार के भृंगक से है जो इस पौधे को खाते हैं। यह शकरकंद कुल कॉनवाल्वुलेसी में आता है। यह मुख्यतया अमेरिका के उष्णकटिबंधीय क्षेत्र एवं एशिया में पाया जाता है। इसे बड़ी ही आसानी से लगाया जा सकता है। पुष्प शीघ्र ही आने लगते हैं। पुष्प सुंदर होने के कारण इसे उष्ण क्षेत्रों में प्रचुरता से लगाते हैं।

यह एक शाकीय लता है तथा कभी-कभी झाड़ीदार-लतानुमा लिपटकर बढ़ता है। पत्तियां-सरल, संकीर्णाग्र; पुष्प-तश्तरीनुमा या कीपाकार, बड़े सुंदर, विभिन्न रंगों के, लाल, नीला, पीला या नील-लोहित, सफेद, अकेले अथवा समूहों में आते हैं। इसकी विश्व में कुल 650 जातियों में से लगभग 47 जातियां भारत की हैं। भारतीय जातियों के साथ लगभग 20 विदेशी जातियां, अपने सुंदर, नयनाभिराम व रमणीय पुष्पों के कारण भारत के उद्यानों व पार्कों में विशेषरूप से लगाई जाती हैं। इनमें रेलवे क्रीपर, आइपोमिआ कॉर्निआ, स्टार आइपोमिआ प्रमुख हैं।

रेलवे क्रीपर: यह एक सामान्य लता है जिसे इसकी कटावदार पत्तियों व अलंकृत पुष्पों हेतु प्राय: जाली के ऊपर, मेहराब, दरवाजों के सामने एवं रेलवे स्टेशन के निकट बहुतायत से लगाते हैं। यह भारतीय पौधा है जो प्राय: समस्त उष्णकटिबंधीय देशों में विस्तृत रूप से फैल गया है। इसका वनस्पतिक नाम आइपोमिआ काइरिका या आइपोमिया पामाटा है। *काइरिका* सम्भवत: काइरो (अफ्रीका) नामक स्थान तथा पामाटा का अर्थ लैटिन में हाथ के आकार की पत्तियों से है। मराठी में इसे मॉनबेल कहते हैं।

यह झाड़ीनुमा, बहुवर्षीय, चढ़ने वाली लता है; तना चिकना, पत्तियां 2.5-4.5 x 2.5-4.5 से.मी. माप की, जो हस्ताकार 5-7, दीर्घवृत्ताकार या भालाकार, आयताकार या अंडाकार पालियों में विभक्त रहती हैं। पुष्प बहुत ही छोटे पुष्पदंड पर निकलते हैं, कक्षस्थ, प्राय: ससीमाक्ष, 5-6 से.मी. x 7 से.मी. माप; दलपुंज घंटाकार, चमकीला गुलाबी, अंदर की तरफ गहरे रंग का, 5 पालियों में विभक्त तथा तहें स्पष्ट होती हैं; फल अंडाकार, एक से.मी. व्यास के, अंदर 4 या इससे कम की संख्या में बीज होते हैं, जो रेशमी रोओं से ढके होते हैं।

पुष्प प्राय: वर्षभर आते हैं लेकिन जुलाई-अक्टूबर तक प्रचुरता में आते हैं। तने के कृंतन द्वारा नई पौध तैयार की जाती है। सूखी तथा पुरानी शाखाओं को काटकर अलग कर देने से पौधे का अच्छा विकास होता है तथा अच्छे फूल आते हैं।

आइपोमिआ कैरीका : यह एक फैलकर, छितराकर बढ़ने वाली झाड़ीनुमा लता है। इसके पुष्प बड़े, गुलाबी अथवा हल्के चमकीले गुलाबी रंग के होते हैं। यह दक्षिण अमेरिका का पौधा है।

स्टार आइपोमिआ : इसका वनस्पतिक नाम *आइपोमिआ कॉक्सीनीआ* अथवा *क्युमॉक्लिट कॉक्सीनीआ* है। यह एक कमजोर पतले तने वाली लता है; पुष्प लोहित, नारंगी या पीले रंग के होते हैं। इसका देशज मैक्सिको तथा उत्तरी आरीज़ोना है।

आइपोमिआ लोबाटा : एकवर्षीय, छोटा विसर्पी पौधा है; पत्तियां हृदयाकार होती हैं, 3 पालितों में विभक्त रहती हैं, मध्य पालित सबसे बड़ा तथा बगल के 2 पालित छोटे होते हैं। पुष्प गहरे लोहित या नारंगी रंग में तश्तरीनुमा दिखते हैं तथा पुष्प नलिका पतली होती है। पौधे का देशज मैक्सिको है।

कामन मार्निंग ग्लोरी : एकवर्षीय, रोमयुक्त लता है, पत्तियां अंडाकर-हृदयाकार, नुकीली लंबाग्र होती हैं। फूल कीपाकार, सफेद से हल्के नीले अथवा नील-लोहित रंग के होते हैं। यह उष्णकटिबंधीय अमेरिका का पौधा है।

मार्निंग ग्लोरी : एक विसर्पी पौधा है, पत्तियां हृदयकार होती हैं, फूल लाल तथा आकाशीय नीले रंग के होते हैं।

इंडियन पिंक या साइप्रस लता : एकवर्षीय वल्लरी अथवा लता है, पत्तियां पक्षवत् विभाजित रहती हैं एवं सुंदर, शोभनीय लाल रंग के फूल खिलते हैं। यह मैक्सिको का पौधा है।

वसंत मालती

वसंत मालती को रंगून लता या रंगून की बेल भी कहते हैं। यह एक प्रचलित पुष्पीय लता है। इसकी कुल सत्रह जातियां उष्णकटिबंधीय क्षेत्र, दक्षिण अफ्रीका तथा इंडोनेशिया में पायी जाती हैं। अंग्रेजी में इसका नाम रंगून क्रीपर, किस-मी-क्विक है तथा भारतीय भाषाओं में बारामासी बेल (गुजराती); इट्टागुट्टिलाटिवा, रंगोनिमाल्ले, टाइगे-गानेस (तेलुगु); इरांगुमल्ली, इलेगासमाललीगाई (तमिल); बारामासी लाल चमेली, रंगूनचा बेल (मराठी) है।

इसका वनस्पतिक नाम *क्यूइस्केवलिस इंडिका* तथा कुल काम्ब्रेटेसी है। इसका देशज मलेशिया है। 'क्यूस' का अर्थ लैटिन भाषा में 'कौन' तथा केवलिस का अर्थ 'क्या' है, तात्पर्य यह है कि इस पौधे के नामकरण के समय इसके कुल का नाम अज्ञात था।

यह एक विशाल, काष्ठीय, बहुवर्षीय लता है। पत्तियां–विपरीत, आयताकार अथवा वृत्ताकार, अछिन्न, झिल्लीवत, 6–9 से.मी. लंबी, मुलायम, शिराएं रोमिल; पुष्प निलंबी, कक्षस्थ या शीर्षस्थ रेसीम, सफेद परिवर्तित होकर गुलाबी–लाल रंग के हो जाते हैं। दलपुंज नलिका, पतली, हरापन लिए, 5 से.मी. लंबी, 5 भागों में विभक्त होकर लगभग 2 से.मी. व्यास की होती हैं।

शाखाएं शीघ्र बढ़ने एवं भारी होने के कारण इसे एक मजबूत सहारे की आवश्यकता होती है। पुष्प सफेद रंग के होते हैं तथा रात्रि में खिलते ही मनमोहक सुगंध बिखेरते हैं। दिन में गुलाबी तदनुपरांत गहरे लाल रंग में परिवर्तित हो जाते हैं। पुष्प प्रायः पूरे वर्ष आते हैं लेकिन जनवरी–फरवरी में कृंतन के पश्चात मार्च–अप्रैल में अधिक आते हैं। अधिक पुष्प के लिए पुरानी शाखाओं को काटकर निकाल देते हैं।

प्रसारण अधोभूस्तारी, कलम तथा दाब विधि द्वारा वर्षा ऋतु में करते हैं। लगभग दो वर्ष बाद पौधे में फूल आने लगते हैं। इसके विकास के लिए सभी प्रकार की मृदा व जलवायु उपयुक्त है। पौध के समुचित विकास तथा पुष्प हेतु निराई–गुड़ाई, जैविक खाद एवं समयानुसार सिंचाई आवश्यक है। लता दीवार, ड्योढ़ी एवं परकोटे हेतु उपयुक्त है। वैसे रोग व कीटों का प्रभाव नगण्य होता है। कभी–कभी फुदका के आक्रमण से बचाव हेतु बी.एच.सी. (बैंजीन हैक्साक्लोराइड) का छिड़काव लाभप्रद है।

बीज को आंत के अंदर के कीड़े निकालने, आमाशय, पेचिस, ज्वर व फोड़ा तथा नासूर घावों पर पुलटिस की तरह लगाने से लाभ होता है। लकड़ियां टोकरी बनाने के लिए उपयुक्त होती हैं।

प्रजाति 'अल्बा' के पुष्प सफेद एवं समूह में निकलकर अति आकर्षक लगते हैं।

झाड़ियां

बार्लेरिआ

बार्लेरिया नाम जैक्वुस बारेलियर (1606–1673), एक फ्रांसीसी वनस्पतिज्ञ की प्रतिष्ठा में दिया गया है। इसकी पहचान बड़ी ही आसानी से की जा सकती है। इसके बड़े, प्रायः कंटीले असमान सहपत्र; पंखुड़ी 4 भागों में विभक्त, बाहर के पालित युग्म, प्रायः दो भागों में, भीतर वाला छोटा एवं पतला होता है; दलपुंज पालीयुक्त 5, चौड़ाई में विकसित तथा अधिकांशतः असमान होते हैं; पुंकेसर 4 तथा द्विदीर्घी, जो दलपुंज के आधार पर जुड़े रहते हैं। पुष्प सफेद, नीला, गुलाबी, लाल, बैंगनी, नील–लोहित, पीला होता है। यह प्रायः शीतोष्ण भागों में पाया जाता है। इसका वनस्पतिक कुल एकान्थेसी है।

प्रायः 100 जातियों में से फीलापाइन वायलेट—बार्लेरिआ क्रिस्टाटा स्वदेशी है जो भारत के पर्णपाती जंगलों में 1000 मीटर तक ऊंचाई वाले मैदानी क्षेत्रों में अधिकांशतः पाया जाता है तथा उद्यानों में भी लगाया जाता है। यह पश्चिम बंगाल में जाटी नाम से जाना जाता है। क्रिस्टाटा का लैटिन अर्थ मुकुट अथवा कलंगीनुमा है।

यह काष्ठीय, अर्ध–झाड़ी, 0.75–1.5 मी. ऊंचा, अत्यधिक शाखान्वित व रोमिल पौधा है। तना कोणीय, रोमिल तथा हरा होता है। पत्तियां–विपरीत, असमान, अंडाकार या भालाकार अथवा रेखाकार से आयताकार, रोमिल, डंठल बहुत छोटा, तीक्ष्ण, ऊपरी भाग हरा तथा निचला भाग हल्का हरा तथा प्रायः 10 से.मी. लंबा तथा 4 से.मी. चौड़ा होता है। बाह्य दलपुंज की पालितें शल्कमय, कंटकी, बरौनीनुमा, अंडाकार से भालाकार, रोमिल; शिराएं उभरी हुई, शिराविन्यास जालिकारूपी तथा किनारे कंटकीय दंतिल होते हैं; पुष्प नीले या कभी–कभी सफेद होते हैं जो अवृन्त, कक्षस्थ, एकल अथवा लगभग 5 से.मी. शीर्षस्थ स्पाइक से निकलते हैं, पुष्प नलिका नीचे की ओर बेलनाकार, तत्पश्चात कीपाकार; पालितें अंडाकार, 2.5–5 से.मी. चौड़ी; पुंकेसर 4, दो माप में दलपुंज के ऊपर लगे होते हैं। फल संपुट, अंडाकार तथा 4 छोटे–छोटे बीज होते हैं।

फूल अक्टूबर–नवंबर तथा मार्च–अप्रैल तथा फल मार्च–अप्रैल में आते हैं। साधारणतया इसको उद्यानों में सुरक्षात्मक बाड़ के रूप में, झाड़ी पट्टिकाओं में सुंदर

पुष्प हेतु लगाते हैं जो थोड़े समय के लिए एक विशेष सुंदर दृश्य बिखेरता है। प्रसारण बीज तथा मुलायम टहनियों की कलम से वर्षाऋतु में आसानी से किया जाता है। किसी भी प्रकार की मिट्‌टी में लगाया जा सकता है। इसे दिनभर सूर्य के प्रकाश की आवश्यकता पड़ती है; अर्ध-छायादार स्थानों पर भी लगाया जा सकता है। अच्छे विकास तथा पुष्प हेतु शाखाओं का कृन्तन पुष्प आने के उपरांत करना बहुत ही आवश्यक है।

इसके कई उद्यान विज्ञान प्रभेद हैं: क्रिस्टाटा कान्डिडा (पुष्प सफेद); क्रिस्टाटा हाइब्रिडा (पुष्प नीलापन लिए हुए); क्रिस्टाटा डाइकोटोमा (गुलाबी); क्रिस्टाटा लांकेस्टरी— नील-लोहित रंग तथा वारिएगाटा— पत्तियां चितकबरी और सुंदर होती हैं।

बार्लेरिआ की अन्य प्रमुख जातियां हैं — *बार्लेरिआ लुपुलिना,* बंगाली नाम विशल्थकरनी, पुष्प-पीला, सुन्दर—रक्त रोकने, बर्रे के दंश में उपयोगी; *बार्लेरिआ प्रिवोनिटिस,* काटसरैया, हिन्दी नाम झिंटी तथा कान्टा-जाटी, बज्रदंती बंगाली नाम है। झाड़ीदार; देशज एशिया तथा उष्णकटिबंधिय अफ्रीका है। पुष्प पीला, आकर्षक, अलंकृत, झाड़ी पट्टिका में लगाने के लिए उपयुक्त होता है।

पत्तियां-दांत के दर्द में चबा कर खायी जाती हैं, जड़ का लेप फोड़े पर तथा बच्चों को मूत्र रोग संबंधित कष्टों में दिया जाता है। *बार्लेरिआ स्ट्राइगोसा* , झाड़ी; देशज भारत; पुष्प देखने में सुंदर होता है। बाड़ के रूप में लगाया जाता है। पत्तियां तथा जड़ सर्दी-खांसी, सूजन को कम करने तथा सर्पदंश में भी दी जाती हैं।

गंधराज

गंधराज का सामान्य अंग्रेजी नाम गार्डेनिआ तथा केप जैस्मिन है। इसका स्थानीय नाम गंधराज (हिंदी, बंगाली तथा उड़िया में) तथा कारिंगा (मराठी में) है। इसका वैज्ञानिक नाम *गार्डेनिआ जेस्मिन्वाडेस* या गार्डेनिआ फ्लोरिडा है, जो मेडेर कुल रूबिएसी में आता है।

'गार्डेनिआ' डा० अलेक्जेंडर गार्डन (1710-1791) के नाम पर दिया गया है। जेस्मिन्वाडेस जैस्मिन की तरह पुष्प का प्रतीक जबकि फ्लोरिडा (लैटिन शब्द) का तात्पर्य कई पुष्पों से है। इसका वर्तमान स्वीकृत नाम *गार्डेनिआ अगस्ता* है।

यह मूलरूप से चीन तथा जापान का पौधा है, जो अपनी चमकीली सुंदर पत्तियों तथा मुख्यतया: अधिक सुगंध तथा *'कामेलिआ'* पुष्प की भांति रमणीय होने के कारण

मैदानी क्षेत्रों के भारतीय उद्यानों में बहुलता से लगाया जाता है। पुष्प धार्मिक दृष्टिकोण से हिंदुओं द्वारा पवित्र माना जाता है। देवी-देवताओं को पूजा में अर्पित किया जाता है। यह अलंकृत झाड़ी पट्टिकाओं, दिवार के किनारे, बाड़ में तथा कटे पुष्प हेतु लगाने योग्य होता है।

छोटा वृक्ष अथवा झाड़ी, 2 मी. ऊंचा, सदाबहार, चमकीली तथा भूरी छाल वाला पौधा है। पत्तियां विपरीत अथवा 3, भ्रमिक, आयताकार, दीर्घाकार, लंबाग्र; शिराएं उभरी, 8-15 से.मी. लंबी तथा 1.5-5 से.मी. चौड़ी, चमकदार तथा गहरे हरे रंग की होती हैं; पुष्प मोम की तरह सफेद, पुराने होने पर हल्के पीले, प्रायः डबल होते हैं; दलपुंज नलिका लगभग 2.5 से.मी. लंबी होती है; रसदार गोल फल, धारीदार होते हैं तथा पकने पर नारंगी रंग के हो जाते हैं। नारंगी रंग के गूदे में कई बीज होते हैं।

पुष्प प्रायः मार्च-सितंबर तथा फलन अक्टूबर-दिसंबर में होता है।

कभी-कभी शाखाओं के ऊपर जड़ स्वतः निकल आती है। इसे तने के साथ काटकर लगाने से नये पौधे तैयार हो जाते हैं। प्रसारण तने की कलम तथा दाब विधि द्वारा वर्षा ऋतु में किया जाता है। इसे सूखी भूमि में भी लगाया जा सकता है। पौधे के अच्छे आकार तथा बड़े पुष्प हेतु पौधों का कृंतन करना आवश्यक होता है।

प्रभेद *जेस्मिन्वाडेस* फारटुनी एक छोटी झाड़ी, 1.5 मीटर ऊंची होती है; पुष्प सफेद तथा पंखुड़ियां एक या दो कतारों में लगभग 5 से.मी. व्यास की तथा पालित थोड़े झुके हुए होते हैं। इसका नामकरण चीन के मि. फारच्यून के नाम पर किया गया है।

जेस्मिन्वाडेस वेट्ची, 2 मीटर ऊंचा; पुष्प सफेद, दलपुंज दोहरे, लगभग 8 से.मी. व्यास तथा प्रायः प्यालेनुमा होते हैं।

औषधीय रूप में पत्तियों को बुखार, जड़ को अजीर्ण, स्नायु रोग तथा लेई का लेप सिरदर्द निवारण हेतु किया जाता है। फल कामला, पेशाब तथा फेफड़े संबंधित कष्ट के निवारण हेतु दिया जाता है तथा पीले रंग का द्रव्य रंगने हेतु प्राप्त होता है।

चांदनी या तगर

चांदनी अथवा तगर का सामान्य अंग्रेजी नाम क्रेप जैस्मिन, ईस्ट इंडियन रोज बे, वॉल फ्लॉवर, मून बीम, आई फ्लॉवर, क्लावेल-डे-ला-इंडिया तथा नीग्रोस क्राउन है। भारतीय भाषाओं में स्थानीय नाम नन्दीवृक्ष, तगोरा (संस्कृत); तगर (बंगाली); सागर, तगर (गुजराती); अनंता, गोंडेतागोरा (मराठी); गांधी तागारापाऊ, नंदीयावट्टम (तमिल);

कोट्टुहाले, नंदबाटलु (मलयालम) है। इसका वनस्पतिक नाम टाबर्नीमोन्टाना डाइवारीकाटा या टाबर्नीमोन्टाना कारोनारिआ जो डागबेन कुल अपोसाइनेसी का पौधा है।

टाबर्नीमोन्टाना नाम एक जर्मन डाक्टर तथा वनस्पतिज्ञ, जे.टी. टाबर्नीमोन्टानस की प्रतिष्ठा में दिया गया है। *डाइवारीकाटा* का लैटिन अर्थ पौधे के अधिक विस्तार से है।

इसका देशज भारत है, जो हिमालय के निचले भागों, गढ़वाल से लेकर पूर्व में आसाम, दक्षिण में आंध्र प्रदेश के समुद्र तटीय क्षेत्रों तथा विशाखापट्टनम के पर्वतीय भागों में पाया जाता है। इसकी विस्तृत खेती इसके पुष्पों की अधिक मांग तथा धार्मिक तथा सामाजिक उत्सवों हेतु की जाती है। इसे उद्यानों तथा पार्कों में चमकदार, सुंदर पत्तियों तथा बड़े सिंगल या डबल चमकीले, बर्फीले सफेद पुष्पों के कारण लगाया जाता है जो प्रायः पूरे वर्ष खिले रहते हैं। गहरी हरी तथा चमकीली पत्तियों के साथ खिलने पर पुष्प नयनाभिराम दृश्य उपस्थित करते हैं।

सदाबहार, काष्ठीय, शाखादार, बड़ी झाड़ी, 1.5-4 मीटर ऊंची, शाखाएं चारों तरफ विकसित होती हैं तथा छाल चमकीली सफेद-भूरे रंग की होती है। पत्तियां सरल, विपरीत, किनारा तरंगित, भालाकार, तीक्ष्ण, नुकीली, चिकनी तथा खूब चमकदार हरी होती हैं। पुष्प दूधिया तथा बर्फीले सफेद, 3.5-5 से.मी. बड़ा तथा केंद्र में पीला, सिंगल, अर्ध-डबल, अथवा डबल, कभी-कभी एक पुष्प में 16 पंखुड़ियां, दलपुंज नलिका हरापन लिए सफेद; 20 या अधिक समूह में शीर्षस्थ अथवा कक्षस्थ-ससीमाक्षों में आते हैं। पुष्प रात्रि में सुगंधित तथा दिन में प्रायः गंधहीन होते हैं। फल युग्म फॉलिकल, अंदर हल्के छोटे कई बीज रहते हैं। फल मैदानी भागों में यदा-कदा ही दिखाई पड़ता है।

पौधा लंबा, पत्तियां छोटी, पुष्प सिंगल, बाह्य दलाभ मुड़ा तथा नुकीला; पौधा नाटा, पुष्प सिंगल, सुगंधित, बाह्यदलाभ चौड़ा तथा शीर्ष गोलाकार; पौधा मध्यम कद, पुष्प अर्ध-डबल—प्रभेद 'फ्लोर प्लेनो'; पौधा मध्यम कद, पत्तियां चित्तीदार तथा पुष्प सिंगल—प्रभेद 'वारीयेगाटा', बड़ा, झाड़ीनुमा पौधा, चित्तीदार पत्तियां तथा पुष्प डबल; पौधा मध्यम कद, पत्तियां बड़ी तथा चौड़ी; पुष्प सिंगल, बड़ा, पंखुड़ियों का शीर्ष भाग गोलाकार-प्रभेद 'ह्वाइट-विंग' उपलब्ध हैं।

साधारणतया पुष्प पूरे वर्ष आते हैं, लेकिन ग्रीष्म तथा वर्षा ऋतु (अप्रैल-सितंबर) में अधिक आते हैं।

प्रसार तने की कलम तथा दाब विधि द्वारा बहुत ही आसानी से किया जाता है। सहिष्णु होने के कारण किसी भी प्रकार की मृदा तथा जलवायु में आसानी से लगाया जा सकता है। यह झाड़ी पट्टिकाओं में लगाने योग्य होता है। इसका अधिक कृन्तन किया जा सकता है, लेकिन बाड़ हेतु अनुपयुक्त होता है। प्रभेद 'वारीयेगाटा' छायादार स्थानों तथा घर के अंदर लगाया जा सकता है।

पौधे का रस आंख की बीमारियों में प्रयुक्त होता है।

कमल – गुलाबी–लाल पुष्प

कमल – सफेद पुष्प

कमल – सफेद पुष्प की व्यावसायिक खेती

लाल कनवल

सफेद कनवल

फुरूस या सावनी

सावनी का सामान्य अंग्रेजी नाम कॉमन क्रेप मिर्टिल, वनस्पतिक नाम *लागेरस्ट्रोमिआ इंडिका* तथा वनस्पतिक कुल लीग्रेसी है। प्रादेशिक भाषाओं में गुल फानूस, फुरूस (हिन्दी); फुरूस (बंगाली); सावनी (पंजाबी); चिनय मेंधी (मराठी); चिनागोरांटा (तेलुगु) तथा तमिल में पवलक-कुरिन्जीआई, सिन्नापु कहते हैं।

लागेरस्ट्रोमिआ नाम चार्ल्स लीनियस के मित्र स्वीडनवासी माग्नुस वी. लागेरस्ट्रामे (1696-1759), की प्रतिष्ठा में दिया गया तथा इंडिका इसके देशज पर आधारित है।

झाड़ी, 1.5-4.0 मी ऊंचा, उच्छीर्ण, चिकना पौधा है। नई शाखाएं कोणीय, भूरी तथा चिकनी होती हैं। पत्तियां-3 की संख्या में भ्रमिक या ऊपर की तरफ एकांतर, आयताकार अथवा दीर्घाकार, 2.5-5.0 से.मी. लंबी, नीचे की शिराएं स्पष्ट उभरी होती हैं। पुष्प कक्षस्थ या एकाकी, रंग सफेद, गुलाबी, नील लोहित तथा पंखुड़ियां लहरदार होती हैं। फल संपुट तथा अंदर भूरे रंग के कई बीज होते हैं।

फल मई-अगस्त में खिलते हैं तथा प्रसारण तने की कलम तथा कभी-कभी बीज द्वारा किया जाता है।

यद्यपि इसका उत्पत्ति स्थान चीन तथा आस्ट्रेलिया है लेकिन सामान्य रूप से भारतीय उद्यानों में 1794 के पहले से ही लगाया गया है। इसे झाड़ी-पट्टिका तथा अकेले इसके विभिन्न रंग के फूलों के कारण लगाते हैं, जो अपने विभिन्न प्रभेद, जातियों तथा रंगों से एक रमणीय दृश्य प्रस्तुत करता है; उदाहरणस्वरूप 'अलीपोरेन्सिस' (हल्का गुलाबी पुष्प), 'कांडिड' (सफेद पुष्प) तथा 'रोज़ीआ' का फूल गुलाबी होता है। इसके अच्छे आकार के कारण इसे एक समूह में भी लगाते हैं।

शाखाओं का कृंतन मार्च-अप्रैल में पत्तियों के गिरने के पश्चात कर देने से नई शाखाओं में सुंदर पुष्प आते हैं। औषधीय महत्व के कारण रेचक के रूप में तथा छाल को उत्तेजक के रूप में दिया जाता है।

लागेरस्ट्रोमिआ वंश की अन्य सामान्य अलंकृत जातियां निम्न हैं:-

बड़ा जारुल: बंगाली तथा पंजाबी में जारुल; उड़िया में पाटोली; असमी में आज़ार; मराठी में टामन; तेलुगु में वारागोगु; तमिल में काडली; कन्नड़ में होले-डासावाला, चाल्ला तथा मानीमारुथू मलयालम नाम हैं। इसका सामान्य अंग्रेजी नाम जाइंट क्रेप मिर्टिल, क्वीन ऑफ

फ्लावर्स, प्राइड ऑफ इंडिया है। इसका वानस्पतिक नाम *लागेरस्ट्रोमिआ स्पेसिओसा* या लागेरस्ट्रोमिआ फ्लॉस-रेजिनी है।

लैटिन में *'स्पेसिओसा'* का अर्थ सुंदर तथा 'फ्लॉस-रेजिनी' का तात्पर्य फूलों की रानी है।

4 से 15 मी. ऊंचा वृक्ष, मुख्य स्तंभ छोटा, शाखाएं बड़ी तथा छाल चिकनी होती है, जिसका रंग भूरा तथा हल्का पीला होता है तथा ये असमान रूप से निकली रहती हैं। पत्तियां बड़ी, सरल आयताकार से भालाकार, युग्म भ्रमिक, शीर्ष भाग पर नुकीली तथा शिराएं स्पष्ट उभरी होती हैं। पुष्प बड़े, विभिन्न रंगों के मिश्रण में बैंगनी, निलिमा लिए हुए व लाल-गुलाबी जो पुराने होने पर परिवर्तित होकर हल्के रंग के हो जाते हैं तथा पंखुड़ियां भड़कीली होती हैं। फल-भूरे रंग का सम्पुट तथा अंदर कई पंखदार बीज होते हैं।

पुष्प अप्रैल-मई, जुलाई-अगस्त में तथा फल प्रायः पूरे वर्ष देखे जा सकते हैं। प्रसारण बीज द्वारा होता है। पौध लगाने के 4-6 वर्ष के बाद ही फूल आने लगते हैं। यह एक भारतीय वृक्ष है। सामान्यतया इसको उद्यानों, उपवनों, जलाशय व तालाबों के किनारे तथा नगरीय सड़कों के किनारे लगाते हैं जो फूलने के उपरांत अति सुंदर, आकर्षक व नयनाभिराम दृश्य बिखेरते हैं। वृक्ष के लिए गर्म, आर्द्र जलवायु तथा नम गहरी मृदा विशेष उपयुक्त होती है।

लकड़ी मजबूत होने के कारण कई प्रकार के निर्माण कार्य, रेल के डब्बों, फर्नीचर, तार के खंबे बनाने के उपयोग में लाई जाती है। पत्तियों को रेचक स्वरूप, सूखे फल तथा पत्तियों का क्वाथ मधुमेह में तथा लकड़ी से छाल-सत्व प्राप्त होता है।

जारुलः जारुल का वनस्पतिक नाम *लागेरस्ट्रोमिआ थोरेली* है। जिसका देशज कोचीन चायना है। यह बहुतायत रूप से भारतीय उद्यानों तथा उपवनों में तथा सड़क के किनारे इसके सुंदर अलंकृत पुष्प हेतु लगाया जाता है। फूल की पंखुड़ियां बड़े जारुल की अपेक्षा कम भड़कीली होती हैं।

वृक्ष 5-12 मी. ऊंचा, मुख्य स्तंभ छोटा, आच्छादन समान रूप से विकसित; छाल पीलापन लिए भूरी होती है जो अनियमित रूप से पपड़ियों में निकलती रहती है। पत्तियां जोड़े में भ्रमिक, दीर्घाकार तथा नुकीली होती हैं। नील-लोहित या नीलापन लिए हुए पुष्प लंबे, कक्षस्थ, संयुक्त रेसीम में निकलकर गुलाबी रंग में बदलकर सफेद हो जाते हैं; फल अंडाकार तथा उसमें कई पंखदार बीज होते हैं।

पुष्प अगस्त-नवंबर तथा फल अक्टूबर-जनवरी में आते हैं। पत्तियां शीत ऋतु में झड़ जाती हैं तथा नई लाल कोपलें निकलकर कुछ दिनों के बाद हरे रंग में परिवर्तित हो जाती हैं।

साधारणतया प्रसारण बीज द्वारा होता है तथा पुष्प 5 वर्ष के पौधे में आने लगते हैं।

कनेर

कनेर को हिन्दी में कारबर, कुराविरा भी कहते हैं। इसको अन्य भारतीय प्रादेशिक भाषाओं जैसे संस्कृत में काराविरा; बंगाली में करबी, रक्त करबी, स्वीत-करबी; उड़िया में कोनेरो, कोरोबिरो; मराठी में कान्हेर, कनेरी; गुजराती में कागीर; तेलुगु में गानेरू, कस्तूरी पाट्टेलु; तमिल में अरली; कन्नड़ में कांगालु तथा मलयालम में अरेली कहते हैं। इसका वनस्पतिक नाम *नेरियम इंडिकम* या *नेरियम ऑडोरुम* है जो डॉगबेन कुल अपोसाइनेसी का पौधा है।

नेरियम ग्रीक शब्द नेरॉस से बना है जिसका अर्थ है नम प्राकृतवास (उगने के स्थान) तथा इंडिकम इसके उद्भव स्थान को सूचित करता है। *ऑडोरुम* का अर्थ है सुगंधित पुष्प। इसका देशज चीन, कोचीन चायना तथा भूमध्यस्थलीय क्षेत्र है। इसका प्रथम प्रवेशन भारतीय वनस्पति उद्यान हावड़ा में 1794 के आसपास किया गया, तदनंतर इसे भारत के अन्य उद्यानों में इसके अलंकृत पुष्प हेतु लगाया गया।

यह झाड़ीदार, सदाबहार, सफेद दूध युक्त, 3 मीटर तक ऊंचा पौधा है। इसका शीर्ष भाग फैला होता है। पौधे के नीचे से सीधी छड़ीनुमा शाखाएं निकलती हैं। पत्तियां-चर्मिल, 3 की संख्या में भ्रमिक, विपरीत, लगभग आयताकार से भालाकार के मध्य, 12 x 18 से.मी. — 1.5 x 3.5 से.मी., लंबाग्र, मोटी तथा चिकनी, दोनों छोर पर पतली तथा मध्य शिरा उभरी होती है।

पुष्प का व्यास 3-5 से.मी., सुगंधित, सिंगल, अर्ध-डबल या डबल, विभिन्न रंगों तथा उसके सहरंग गुलाबी, लाल, गहरे लाल, गुलाबी-लाल, सफेद तथा हल्के पीले रंगों के समूह में होते हैं जो शाखाओं के शीर्ष पर निकलते हैं। फल युग्म फॉलिकिल, भीतर पंखदार बीज होते हैं।

फूल फरवरी-मार्च में अधिकाधिक संख्या में खिलते हैं, लेकिन छिटपुट वर्षभर आते रहते हैं। फल फरवरी-मई में आते हैं। प्रसारण कलम तथा हवाई दाब द्वारा आसानीपूर्वक किया जाता है लेकिन यदाकदा पौधों को जमीन से निकालकर भी लगाया जाता है।

इसके मुख्य प्रभेद निम्न हैं- *ऑलिअंडर अल्बम* - पुष्प सिंगल, बड़े तथा सफेद। *ऑलिअंडर कार्निआ* - पुष्प सिंगल, गहरा लाल। *ऑलिअंडर कार्निउम फ्लोरेप्लेनो* - पुष्प डबल, नारंगी-गुलाबी। *ऑलिअंडर रोजिउम* - सिंगल पुष्प, गुलाबी-लाल। *ऑलिअंडर वेरिएगेटुम* - पत्तियों का किनारा पीलापन लिए सफेद तथा पुष्प हल्के लाल। *ऑलिअंडर*

वेरिएगेटुम प्लेनुम – पत्तियां गहरे हरे रंग की, किनारे पर हल्की पीली; पुष्प लंबे, डबल, लाल-गुलाबी तथा मध्य में गहरा गुलाबी।

पौधे को किसी भी जलवायु तथा मृदा में आसानी से लगाया जा सकता है। इसे झाड़ियों की पट्टिकाओं या बाड़ के लिए भी लगाते हैं। पुष्प खिलने के उपरांत शाखाओं का कृंतन करने से नई शाखाओं में सुंदर व बड़े पुष्प निकलते हैं। पुष्प सजाने के काम आता है।

पौधे का समस्त भाग विषैला होने के कारण बच्चों को इससे दूर रखना चाहिए। पत्तियों का क्वाथ चर्मरोग में उपयोगी है।

क्रोसांड्रा या कनकाम्बरम

कनकाम्बरम पुष्पम् इस पौधे का तमिल नाम है। इसका सामान्य नाम क्रोसांड्रा व फायर क्रैकर प्लान्ट भी है। कनकाम्बरम के अतिरिक्त इसके अन्य नाम पावालाक्कुन्जा (तमिल); गोब्बी, कनकाम्बारमु (तेलुगु) तथा अब्बोलिगे कन्नड़ में हैं। इसका वानस्पतिक नाम क्रोसांड्रा इनफन्डीबुलीफार्मिस या क्रो. अन्डुलीफोलिआ है, जो एकान्थुस कुल एकान्येसी का पौधा है।

क्रोसांड्रा ग्रीक शब्द *'क्रॉस्सोस'* से बना है जिसका अर्थ है झालरदार पुष्प, *'एन्ड्रोस'* का तात्पर्य परागकोष है, जो झालरदार होता है, *'इनफन्डीबुलीफार्मिस'* का अर्थ कीपाकार पुष्प तथा *'अन्डुलीफोलिआ'* नाम इसके लहरदार अथवा तरंगित पर्णफलक के किनारे के कारण पड़ा है।

यह झाड़ी से छोटा, एक मी. ऊंचा, सदाबहार पौधा है; पत्तियां-चमकदार चिकनी, विपरीत या भ्रमिक, लहरदार अथवा अझिन्न; पुष्प रेखाकार से आयताकार, स्पाइकों में 4 कतारों में, कीपाकार, अवृंत, सहपत्र अधिक स्पष्ट तथा हरे होते हैं। दलपुंज नलिका-लंबी, रेखाकार तथा नीचे का भाग थोड़ा फूला होता है। ये नारंगी-पीले, गहरे नारंगी अथवा गहरे नारंगी-गुलाबीनुमा रंग के होते हैं। 3 से.मी. तक लंबे, 5 पालित, असमान; पुंकेसर 4 जो नलिका के साथ जुड़े होते हैं। फल संपुट, आयताकार तथा नुकीला होता है।

यह भारतीय पौधा है, विशेषकार दक्षिण प्रायद्वीप तथा श्रीलंका तक पाया जाता है। इसकी खेती मुख्यतया व्यवसायिक रूप से दक्षिण भारत में अधिक की जाती है। इसके पुष्पों की मांग विशेषकर औरतों की वेणी सुसज्जित करने तथा हार बनाने में अधिक है।

इसमें पुष्प प्राय: वर्षभर आते हैं लेकिन अप्रैल-सितंबर में अधिक आते हैं। प्रसारण बीज एवं कलम द्वारा किया जाता है। यह एक सहिष्णु पौधा होने के कारण इसे अर्ध छायादार या पूर्ण सूर्य के प्रकाश में लगाया जा सकता है। दोमट मृदा अथवा काली मिट्टी जिसमें पत्ती की खाद की बहुलता होती है, इसके लिए विशेष उपयोगी है।

पौध रोपण के पश्चात 6 माह के अंतराल पर 50 कि.ग्रा. यूरिया, 100 कि.ग्रा. सुपरफॉस्फेट तथा 60 कि.ग्रा. म्यूरेट प्रति हेक्टेयर देना चाहिए। अच्छे पौध विकास तथा फलोत्पादन हेतु खरपतवार, निराई, गुड़ाई, पौधे के तने के पास मिट्टी की मेड़ तथा नियमित सिंचाई आवश्यक है। यह अलंकृत झाड़ियों के बार्डर में लगाने योग्य है।

पौधों के उकठा रोग से प्रभावित होने पर पत्तियां गिरने लगती हैं तथा जड़ें सड़ने लगती हैं, जिसके बचाव हेतु मृदा में 1% बोर्डोक्स अथवा 0.3% ब्रासीकॉल मिलाते हैं।

स्केल सफेद मक्खी तथा खटमलनुमा कीड़ों के प्रभाव से बचाव के लिए 7% फोसालोन का छिड़काव पाक्षिक अंतराल पर करना चाहिए। निमेटोड से प्रभावित खेतों में टेमिक-10, 25 ग्राम प्रति वर्ग मीटर मिलाते हैं।

कनकाम्बरम् की 4 कृषियोग्य जातियां— दिल्ली, लुटिआ, आरेंज तथा सेबाकुलिस रेड प्रमुख हैं।

धतूरा

धतूरे को संस्कृत में धास्तुरा; हिन्दी में सादा धतूरा; बंगाली व मराठी में धतुरा तथा तमिल में वेल्ला-ऊमट्टाई कहते हैं। इसका वैज्ञानिक नाम *धतुरा मेटेल* या *धतुरा फास्टुओसा* या *धतुरा आल्बा* है। इसका प्रभेद *अल्बा* है जो बैंगन कुल सोलानेसी का पौधा है।

धतुरा शब्द संस्कृत के धास्तुरा या धान्तुरा से बना है तथा मेटेल पूर्वी भारत में प्रचलित नाम पर आधारित है। यह एक सामान्य खर-पतवार है, जो विशेषकर अनुपयुक्त स्थानों पर पाई जाती है। इसके ग्रामोफोन के आकार के पुष्प के कारण इसे बड़ी ही आसानी से पहचाना जा सकता है। लेकिन फिर भी इसकी खेती उद्यानों में कम ही की जाती है।

यह शिव मंदिर के निकट इसके पुष्प तथा फल हेतु लगाया जाता है जो धार्मिक दृष्टि से पूजा में अर्पित किया जाता है। झाड़ीदार, शाकीय, मुलायम, चिकना या आंशिक रोमिल होता है, 1.5 मीटर ऊंचा, पौधे का आधार काष्ठीय होता है। शाखाएं अनियमित दिशाओं में निकलती हैं तथा बैंगनी रंग पर सफेद दागदार होती हैं।

पत्तियां अंडाकार, भालाकार, 15–18 से.मी. लंबी तथा आधार अनियमित होता है। पुष्प सीधा, बड़ा, लगभग 12–15 से.मी. लंबा एवं 5–पालियुक्त होता है, दलपुंज का बाह्य भाग बैंगनी या नील–लोहित एवं अंदर का रंग सफेद होता है। फल संपुट, गोल, बाहरी भाग पर भोथरे, कांटेदार उभार होते हैं; बीज छोटे व पीले होते हैं।

फूल तथा फल जुलाई–दिसंबर तक आते हैं। बीजों का अंकुरण किसी भी मृदा में आसानी से हो जाता है।

पौधे के विकास हेतु गर्म व आर्द्र जलवायु आवश्यक है। मात्र थोड़ी सी ही देख रेख में इसकी खेती की जा सकती है।

पुष्प सूर्यास्त के बाद रात्रि में खिलते हैं तथा दिन में सूर्य के अत्यधिक प्रकाश में बंद हो जाते हैं। साधारणतया पुष्प में दोहरे दलपुंज भी होते हैं। कभी–कभी तीन तहदार दलपुंज भी पाये जाते हैं। 'हुबेरिआना' प्रभेद का रंग सफेद तथा नील–लोहित या बैंगनी होता है, जबकि सफेद पुष्प वाले प्रभेद को 'अल्बा' कहते हैं।

पौधे का संपूर्ण भाग निद्राकारी तथा विषैला होता है। पत्तियों से बनी सिगरेट दमा रोगियों को दी जाती है।

गुड़हल

गुड़हल का सामान्य अंग्रेजी नाम गार्डन हिबिस्कस, शूफ्लावर या चायनीज़ हिबिस्कस है। भारतीय भाषाओं में इसका नाम जापा, जावा, रुद्र पुष्पम् (संस्कृत); जावा (बंगाली); दशिनदाच फुला, जशवन्दा (मराठी); मोनडारो (उड़िया); जोवा (असामी); जासुम (पंजाबी); जासुआ (गुजराती); सेम्पारुथी (तमिल); चेम्बारथी (मलयालम); जावा पुष्पामु, दासाना (तेलुगु) तथा दासावाला (कन्नड़) में है। यह भिंडी कुल मालवेसी में आता है तथा इसका वानस्पतिक नाम *हिबिस्कस रोजा–सीनेन्सिस* है।

हिबिस्कस ग्रीक शब्द इबिस्कॉस या आईबिस्कास तथा लैटिन शब्द *हिबिस्कम इबिस्कम* या *हिबिस्कस* से बना है तथा *रोजा–सीनेन्सिस* इसके सामान्य अंग्रेजी नाम पर है। चायना रोज़ या रोज़ ऑफ चायना। इसके देशज चीन का प्रतीक है। यह सामान्यता भारत के उद्यानों तथा उपवनों में प्रायः समस्त पौध प्रेमियों द्वारा लगाया जाता है। इसके अलंकृत पुष्प का हिन्दू देवी काली से संबंध होने के कारण इसे पवित्र माना गया है। इसे एकल तौर पर बाड़ तथा गमले में भी लगाया जाता है।

यह मध्यम आकार की काष्ठीय झाड़ी है; पत्तियां गहरे हरे रंग की तथा चिकनी होती हैं। पुष्प बड़े, सिंगल, घंटाकार; पुतंतु आपस में मिलकर एक पुंकेसरीय नलिका बना लेते हैं, लेकिन परागकोष अलग-अलग लंबी वर्तिका पर स्थित होते हैं। पुष्प कई रंग तथा रंगों के मिश्रण में सफेद, पीले, गुलाबी, बैंगनी, लाल तथा द्विरंगी, इत्यादि होते हैं। पुष्प वर्ष भर आते हैं, लेकिन अप्रैल-सितंबर तक बहुतायत में खिलते हैं।

प्रसारण कलम तथा अंटा विधि द्वारा वर्षा तथा शरद ऋतु में किया जाता है तथा दक्षिण भारत विशेषकर बंगलुरू में शरद ऋतु में कलिकायन विधि द्वारा किया जाता है। कई प्रभेद तथा संकर जातियां विभिन्न रंगों, आकार, माप तथा दलपुंज की संख्या के आधार पर हैं। सिंगल या डबल रूप तथा चित्तीदार पत्तियों वाले पौधे भी पाये जाते हैं।

अलंकृत गुण के अतिरिक्त, पुष्प से गहरा नीला रंगने का द्रव्य मिलता है जो जूते की पॉलिश बनाने के काम आता है। यह पाचन/अजीर्ण में सहायक तथा श्वास रोग में लाभदायक होता है। हरी पत्तियां रेचक के रूप में, जड़ की छाल खांसी, बुखार तथा जननेंद्रिय संबंधी बिमारियों में उपयोगी होती है।

पौधे के समुचित विकास एवं अधिकाधिक पुष्पों हेतु, थोड़े हल्के तापक्रम तथा अधिक आर्द्रता की आवश्यकता होती है। हल्की बलुई-दोमट मृदा के साथ यौगिक खाद का मिश्रण बहुत ही उचित होता है। चिकनी मिट्टी वाले उद्यानों में लगभग 75 से.मी. गहरा गड्डा खोदकर सड़ी हुई पत्ती की खाद, हड्डी का चूर्ण तथा मृदा के मिश्रण को भर देना चाहिए। मिट्टी को जमीन की सतह से लगभग 30 से.मी. ऊपर करके सिंचाई कर देते हैं। जमीन स्थिर होने के बाद, प्रातः अथवा सांयकाल पौध को रोपित करते हैं। हड्डी का चूर्ण पुष्प के रंग को निखारता है। जल क्रांति वाले क्षेत्र इसकी खेती के लिए अनुपयोगी होते हैं तथा पौधों का विकास कम होता है और इसमें पुष्प नहीं आते हैं, फलस्वरूप उचित जल निकास बहुत ही आवश्यक होता है।

घुन, मर्कट या लाल मकड़ी तथा हरा तेल कीट के कुप्रभाव से गुड़हल के पौधों का विकास कम होने के साथ-साथ फूलों की संख्या भी कम हो जाती है। इसके बचाव हेतु गेमेक्सीन (5 प्रतिशत) का छिड़काव एक निश्चित अंतराल पर करना चाहिए।

गुड़हल के अतिरिक्त *हिबिस्कस* की निम्नलिखित जातियों की खेती की जाती हैं।

जापानी लालटेन गुड़हलः इसका सामान्य नाम जापानीस लैन्टर्न या कोरल हिबिस्कस या फ्रीन्ड हिबिस्कस तथा वनस्पतिक नाम *हिबिस्कस सीज़ोपेटालस* है। इसका मूल देश उष्णकटिबंधीय अफ्रीका है। पत्तियां छोटी, गहरे हरे रंग की; पुष्प-गहरे कटावदार, गुलाबी तथा नारंगी-लाल रंग की लकीरें लिए हुए, नीचे झूलते हुए होते हैं, जो देखने में सुंदर लगते हैं। इनको बाड़, झाड़ियों की पट्टी में लगाते हैं। फूल अप्रैल-दिसंबर में आते हैं। प्रसारण वर्षा ऋतु में तने की कलम द्वारा किया जाता है।

स्थल-कमल गुड़हल: स्थल-कमल गुड़हल का सामान्य अंग्रेजी नाम चैंजीयेबल रोज़, कॉटन रोज़, चाइनीज़ रोज़ तथा वनस्पतिक नाम *हिबिस्कस मुटाबिलिस* है, जिसका उत्पत्ति स्थान चीन है। यह एक बड़ी काष्ठीय झाड़ी है। पत्तियां-चौड़ी; पुष्प बड़े, डबल, गुलाबी-सफेद जो पुराने होने एवं प्रकाश की सघनता के कारण गहरे गुलाबी रंग में बदल जाते हैं।

यह झाड़ी के रूप में लगाया जाता है। फूल आने के बाद पौधों का कृंतन अच्छे बड़े पुष्प प्राप्त करने के लिए आवश्यक होता है। पुष्प मई-अक्टूबर में आते हैं। प्रसारण तने की कलम, दाब तथा बीज द्वारा किया जाता है। तने के छिलकों से रस्सी बनाई जाती है।

सफेद गुड़हल: इसे बंगाली में स्वेत जावा, अंग्रेजी में रोज़ ऑफ शारॉन कहते हैं। इसका वैज्ञानिक नाम *हिबिस्कस सीरीआकस* है, जिसका देशज़ सीरिया है। यह अधिक शाखान्वित, छोटी झाड़ी है। पत्तियों के डंठल पर तीन धारियां होती हैं। भारतीय उद्यानों में इसके अलंकृत सफेद या नीलापन युक्त, सिंगल अथवा डबल पुष्प पाये जाते हैं।

इसे किसी भी जलवायु में लगाया जा सकता है। प्रसारण तने की कलम से किया जाता है। पुष्प मई-सितंबर तक आते हैं। कृषि योग्य जाति 'ब्लू बर्ड'- पुष्प सिंगल, नीला; 'कालेस्टे'- पुष्प सिंगल तथा हल्का नीला होता है।

इसका औषधीय महत्व भी है, फूलों का रस खुज़ली, चर्म रोग, पेचिस; जड़ें आमाशय/अतिसार तथा पत्तियां पेट दर्द में दी जाती हैं।

बोला: बोला का सामान्य अंग्रेजी नाम कोस्ट कॉटन ट्री, येलो मैलो ट्री तथा वनस्पतिक नाम *हिबिस्कस टिलिएसियस* है। यह भारत व श्रीलंका का झाड़ीनुमा वृक्ष है जिसकी शाखाएं छितरी व फैली हुई होती हैं।

पत्तियां-हृदयाकार; पुष्प नीबू की तरह पीला तथा मध्य भाग में भूरा-लाल होता है, फूल यद्यपि अलंकृत होते हैं लेकिन पत्तियों की अधिकाधिक संख्या की तुलना में नगण्य होते हैं।

यह दलदली तथा छायादार स्थानों में अच्छी प्रकार बढ़ते हैं। प्रसारण बीज तथा तने की कलम द्वारा होता है। पुष्प वर्ष भर आते रहते हैं लेकिन अप्रैल-जुलाई में अधिक खिलते हैं। इसे उद्यानों में कम ही लगाया जाता है, तनों के छिलके से रस्सी बनायी जाती है तथा लकड़ी पटरे बनाने के काम आती है।

पत्तियां रेचक हैं। छाल का गोंद पेचिस; जड़ें गठिया, वात तथा कमर दर्द में दी जाती हैं।

हरा चंपा या कंटीली चंपा

कंटीली चंपा का सामान्य अंग्रेजी नाम टेल-ग्रेप या क्लाइम्बिंग य्लांग-य्लांग या सोंग-सोंग तथा भारतीय नाम हरा चंपा, चंपा (हिन्दी); काठ चंपा (बंगाली); हिरवा चंपा (मराठी) तथा दक्षिण भारतीय नाम मदनमस्त या मनोरंजितम् है। इसका वनस्पतिक नाम अर्टाबोट्रीस हेक्सापेटालुस या आर्टाबोट्रीस ऑडाराटिसिमुस है जो शरीफ़ा कुल अन्नोनासी में आता है।

आर्टाबोट्रीस, ग्रीक शब्द आर्टानी या आर्टाओ से बना है जिसका अर्थ है झूलता हुआ एवं *बोट्रीस* का अर्थ है अंगूर के गुच्छे या प्रतान से झूलते हुए अनोखे फल, *हेक्सापेटालुस* यानी छह पंखुड़ी वाला तथा *ऑडाराटिसिमुस* का तात्पर्य सुगंधित फूल व फल से है। इसका उत्पत्ति स्थान भारत व श्रीलंका है। यह मुख्यतया दक्षिण भारत के पश्चिमी पठारी क्षेत्रों में पाया जाता है। इसकी खेती इसके मधुर सुगंधित फूल के कारण की जाती है।

यह लता अथवा अंकुश आरोही लता है जो झाड़ीनुमा, चिकनी, सदाबहार, काष्ठीय, घने आच्छादन के कारण देखने में सुंदर लगती है। पत्तियां विपरीत आयताकार से भालाकार के मध्य, गहरी हरी, चिकनी, चमकीली, 10-16 से.मी. लंबी तथा 3-5 से.मी. चौड़ी, लंबाग्र तथा छोर पर थोड़ी मुड़ी होती हैं; पुष्प 1 या 2, काष्ठीय, अंकुशनुमा, मुड़ी हुई पुष्पवल्ली पर पत्तियों के कक्ष में निकलते हैं जो हरापन या पीलापन लिए अति सुगंधित होते हैं। कभी-कभी पुष्प चतुष्टयी (बाह्यदल 4 तथा पंखुड़ियां 8, दो-दो क्रम में 4), पुंकेसर कई; अंडप 6-10; फल रसदार, गोल, आयताकार, आधार हल्का नुकीला, चिकना तथा सुगंधित होता है।

फूल जुलाई-सितंबर तथा फल सितंबर-दिसंबर तक आते हैं। इसका प्रसारण बीज तथा दाब विधि द्वारा आसानीपूर्वक वर्षा ऋतु में किया जाता है। पौधे के समुचित विकास तथा फूल हेतु उर्वरायुक्त हल्की मृदा के साथ-साथ जैविक अंश का होना आवश्यक है। पौधे को अर्ध-छायादार, विशेषकर ऊंचे वृक्ष के नीचे लगाना चाहिए। यह झाड़ी पट्टिका की पिछली पक्तियों में लगाने योग्य है। पुष्प मधुर, रुचिकर व सुगंधित होने के कारण घर के भीतर रखे जाते हैं; इससे एक प्रकार का सुगंधित तेल निकलता है जो इत्र उद्योग में प्रयोग होता है।

इक्जोरा

इक्जोरा संस्कृत शब्द ईश्वरी अर्थात देवी पार्वती के नाम पर दिया गया है। इसकी कुछ जातियों के पुष्प पूजा हेतु अर्पित किये जाते हैं। यह मैडर कुल रूबिएसी में आता है। इस समूह के पौधे मुख्यतया सदाबहार झाड़ियां अथवा छोटे वृक्ष होते हैं। पत्तियां विपरीत, सरल, छोटी से बड़ी, प्रायः अभि-अंडाकार से आयताकार या चौड़ी-भालाकार, हरे या गहरे हरे रंग की होती हैं। पुष्प समूह में आते हैं। दलपुंज-नलिका लंबी, 4-पालितों में, विभिन्न रंगों—सफेद, गुलाबी, गहरे लाल, पीले, नारंगी-लाल, इत्यादि के होते हैं। फल कड़े या मांसल, जिनके अंदर दो आयताकार बीज होते हैं।

इसके कई प्रभेद बहुत ही आकर्षक, नयनाभिराम तथा देखने में रमणीय होते हैं। इनको उद्यानों, उपवनों, झाड़ी-पट्टिकाओं, एक समूह या अलंकृत बाड़ तथा आकर्षक सुंदर आकृति बनाने हेतु भी लगाया जाता है। पुष्प वर्षभर खिलते हैं, लेकिन मार्च-नवंबर में अधिकतम आते हैं। पौधे के समुचित विकास हेतु थोड़े रख-रखाव, खाद तथा कृंतन-छंटाई की आवश्यकता होती है। प्रसारण बीज, कलम, दाब तथा रोपण विधि द्वारा किया जा सकता है लेकिन विशेषकर कलम द्वारा ही लगाया जाता है। भारतीय उद्यानों में अलंकृत पुष्प वाली लगभग 30 जातियां तथा कई प्रभेद पाए जाते हैं, जिनमें प्रमुख जातियां निम्न हैं।

चायना इक्जोरा या चीन का इक्जोरा: इसका वनस्पतिक नाम *इक्जोरा चाइनेन्सिस* है। इस जाति का नाम इसके देशज चीन पर दिया गया है। यह एक झाड़ीनुमा पौधा होता है। पुष्प खिलने पर नारंगी बाद में ईंट या नारंगी-लाल रंग में बदल जाता है। यह हरियाली के मध्य, बाड़ या गमले में लगाने हेतु उपयुक्त होता है।

रंगन: इसका सामान्य अंग्रेजी नाम स्कार्लेट या जंगल फ्लेम इक्जोरा है। रंगन या रुक्मिणी (हिंदी व बंगाली); पेंडगाल (मराठी); कोरानम, मानकोना (तेलुगु); चेट्टी वेडची (तमिल); थेच्ची, थेट्टी (मलयालम); कपाला (कन्नड़); रोमिनोफ्लो (उड़िया) नाम हैं। इसका वनस्पतिक नाम *इक्जोरा कॉक्सीनीआ* है। *काक्सीनीआ* का लैटिन अर्थ लाल रंग के फूल से है। देशज दक्षिण भारत का पश्चिमी भाग है। यह 1-1.5 मी. ऊंची झाड़ी है। फूल शाखाओं के शीर्ष पर बड़े हेड तथा समूह में निकलते हैं, जो इक्जोरा की सामान्य रूप से लगाई गई जातियों में अति आकर्षक होते हैं। प्रसारण बीज तथा कलम द्वारा बरसात में किया जाता है। लकड़ी मजबूत होने के कारण औजारों की मूठ बनाने योग्य होती है। पत्तियां घाव, नासूर इत्यादि तथा जड़ पेचिस के निदान में दी जाती है।

कोटुगंधाल या पीला इक्जोराः इसका सामान्य नाम येलो इक्जोरा है। इसका वनस्पतिक नाम *इक्जोरा काक्सीनीया* तथा प्रभेद *लुटीआ* है। इस झाड़ीदार पौधे की पत्तियां चमकीली, पंखुड़ियां थोड़ी चौड़ी तथा पुष्प समूह में आते हैं।

टार्च वुड इक्जोरा या टार्च ट्रीः इसका प्रादेशिक नाम रंगन (बंगाली); किलाक्राया या टेलोक्राई (उड़िया); नेगाली, रायकु (मराठी); नेवारी (गुजराती); कारिवीपाला, पुट्टुपाला (तेलुगु); शुलुन्दुकोरा (तमिल) तथा गोराबिक्काटिगे (कन्नड़) है। इसका वनस्पतिक नाम *इक्जोरा पार्वीफ्लोरा* है, जिसके जातीय नाम- *पार्वीफ्लोरा* का लैटिन अर्थ छोटे फूल है। यह सदाबहार, छोटा वृक्ष होता है, जिसमें कई शाखाएं निकलती हैं तथा पत्तियां चिकनी होती हैं। छोटे-छोटे हल्के सफेद फूल, समूहों में शाखाओं के शीर्ष पर निकलते हैं। यह भारत का पौधा है। यह किसी भी प्रकार की मृदा में छायादार पौधों के नीचे लगाया जाता है। फूल मार्च-अप्रैल में खिलते हैं।

प्रसारण बीज, कलम तथा दाब पद्यति द्वारा किया जाता है। इसकी खेती के लिए कम देखरेख की आवश्यकता होती है। पौधों के सुंदर आकार हेतु सूखी तथा सीमा से बाहर निकली शाखाओं को काट दिया जाता है। झाड़ी पट्टिकाओं के पार्श्व में तथा सफेद गुच्छेदार पुष्प हेतु उद्यान में लगाने योग्य होता है। पत्तियां चारे के रूप में पशुओं को दी जाती हैं। लकड़ियां मजबूत होने के कारण नक्काशी तथा ख़राद-कार्य में उपयोगी हैं। जड़ तथा फलों को पेशाब संबंधी रोगों में दिया जाता है।

गुलाबी इक्जोराः इसका वनस्पतिक नाम *इक्जोरा रोजीआ* है। इसे पिंक इक्जोरा भी कहते हैं। इसका देशज मलक्का तथा चीन है। यह एक छितराकर बढ़ने वाला, 1.5 मीटर ऊंचा, झाड़ीदार पौधा है। हल्के गुलाबी फल बड़े गोल कॉरिम्ब में निकलकर उम्र के साथ परिवर्तित होकर लालीनुमा हो जाते हैं जो चमकदार पत्तियों के मध्य दिखने में सुंदर लगते हैं। फूल अगस्त-सितंबर में खिलते हैं। प्रसारण तने की कलम को बालू की क्यारियों में लगाकर अथवा बसंतऋतु अथवा बरसात के दिनों में दाब विधि द्वारा किया जाता है। यह बॉर्डर तथा बाड़ में लगाने हेतु उपयुक्त होता है।

सिंगापुर इक्जोराः इसका वनस्पतिक नाम *इक्जोरा सिंगापुरेन्सिस* है। इसका जातीय नाम इसके उत्पत्ति स्थान सिंगापुर पर आधारित है। पौधा झाड़ीदार, 1.5 मीटर तक ऊंचा होता है। पत्तियां चौड़ी, चमकदार तथा भालाकार होती हैं जो देखने में सुंदर होती हैं। नारंगी-लाल रंग के फूल बड़े गुच्छे में शाखाओं के शीर्ष पर निकलते हैं। जो अति सुंदर व लुभावने लगते हैं। यह उद्यानों, पार्कों तथा आवासीय स्थानों पर रंगीन, आकर्षक पुष्पों के कारण एकल अथवा झाड़ी पट्टिकाओं में लगाया जाता है।

फूल वर्षभर आते हैं लेकिन मई-अगस्त में अत्यधिक खिलते हैं। अनैच्छिक तथा बाहर की तरफ निकली शाखाओं को ऊंचाई व आकार को सीमित रखने के लिए काटकर निकाल देते हैं। कृंतन का कार्य पुष्पहीन अवस्था में करते हैं। प्रसारण कलम तथा दाब द्वारा आसानी से किया जाता है। थोड़े रख-रखाव से पौधों में विकास ठीक होता है एवं फूल दो वर्ष के अंदर ही आने लगते हैं।

जैस्मिन

जैस्मिन, 'जैस्मिनम' का एक सामूहिक शब्द है जो ओलिआ कुल ओलियेसी का पौधा है। यह अरबी शब्द यास (आ) मिन; पारसी शब्द यासमान, यासामिन तथा ग्रीक शब्द इस्मेलाइओन, इआसीमान से बना है, जिसका अर्थ है सुगंधित पुष्प। यह पुष्प में निहित सुगंधित द्रव हेतु जाना जाता है।

यह उच्छीर्ण अथवा झाड़ीनुमा या आरोही पौधा है; पत्तियां-विपरीत, कभी-कभी एकांतर, सरल त्रिपर्णी या असमपिक्षकी, 3-7 पत्रक; पुष्प प्रायः मधुर सुगंधित, सुंदर, शीर्षस्थ अथवा कक्षस्थ, ससीमाक्ष, कदाचित एकाकी, सफेद, पीले या लाल रंग के होते हैं; सहपत्र छोटे, रेखाकार या अंडाकार, सहपत्रिकाएं प्रायः रेखाकार; बाह्य दलपुंज घंटाकार, 4-9, रेखाकार पालित होते हैं; दलपुंज नलिका संकीर्ण, प्रायः दीर्घीकृत, 4-6 फैले हुए पालित; पुंकेसर 2, छोटे दलपुंज में लगे होते हैं। फल रसदार, गोल जिसमें 1-2 बीज होते हैं।

इसकी लगभग 90 जातियां उष्णकटिबंधीय, उपोष्ण तथा गर्म शीतोष्ण जलवायु वाले क्षेत्रों में पाई जाती हैं। इनमें से मात्र 40 जातियां ही भारत के जंगलों में पाई जाती हैं। सामान्य जंगली जातियां जो अपने पुष्प तथा सुगंधित तेल के लिए उद्यानों एवं व्यापारिक दृष्टिकोण से लगाई जाती हैं, उनमें से जूही, मोगरा, चमेली, इत्यादि प्रमुख हैं।

कुन्द फूलः कुन्द के सामान्य नाम फरी जैस्मिन, स्टार जैस्मिन, पिनव्हील जैस्मिन, डाउनी जैस्मिन तथा एंजिल-हेयर जैस्मिन है। इसका वनस्पतिक नाम *जैस्मिनम मल्टीफ्लोरूम* या *जैस्मिनम पुबेसेन्स* है। भारतीय भाषाओं में इसका नाम कुन्दा, सादापुष्पा व वासान्ता (संस्कृत); कुन्द फूल, कुन्द, कुन्दा, चमेली (हिन्दी); कुन्द फूल (बंगाली); मोगरा, गुजरी (मराठी); कुनदामू (तेलुगु); मल्लिगाई (तमिल) तथा कुरुकुन्तिमल्ला मलयालम भाषा में है। *मल्टीफ्लोरूम* का अर्थ कई पुष्प तथा *पुबेसेन्स* का अर्थ रोमिल है, जो इस पौधे की पहचान है।

यह फैला हुआ, झाड़ीनुमा, सदाबहार पौधा है, तने का छिलका हल्का हरा तथा बिल्कुल पतला होता है, नई शाखाएं रेशम की तरह रोमिल तथा प्रायः मुर्चीली होती हैं। पत्तियां विपरीत, सरल 4.7 x 2.4 से.मी. माप की, अंडाकार, तीक्ष्ण गोल अथवा हृदयाकार होती हैं। पुष्प सफेद, सिंगल या डबल, सुगंधित, शीर्षस्थ ससीमाक्ष समूह में निकलते हैं, अवृन्त तथा पीले रोमयुक्त होते हैं; दलपुंज नलिका पतली, लगभग 1.8 से.मी.

लंबी, पालित 7–9 होते हैं। काले रंग का रसदार, गोल फल अनपाती बाह्यदल से चारों तरफ से घिरा रहता है। पुष्प फरवरी–जून तक खिलते हैं। पौधों का प्रसारण तने की कलम तथा पौधों की जड़ों से निकली पौध को काटकर वर्षा के दिनों में किया जाता है।

इसका देशज भारत है। यह फारस एवं कश्मीर के जंगलों में पाया जाता है तथा उद्यानों तथा व्यक्तिगत आवासों में इसके गुच्छेदार, सुगंधित पुष्प के लिए लगाया जाता है। पुष्प खिलने पर बहुत ही अलंकृत लगते हैं। इसके सहिष्णु पौधा होने के कारण इसे संपूर्ण सूर्य का प्रकाश आवश्यक है। यह अनुपजाऊ मृदा में भी लगाया जा सकता है। सुंदर, बड़े तथा अधिक फूलों हेतु वर्षा के पूर्व कृंतन करना आवश्यक होता है। साधारणतया कीटों द्वारा पौधे कोढ़ रोग से ग्रसित हो जाते हैं, जिन्हें कीटनाशक दवाओं के छिड़काव से बचाया जा सकता है।

मल्टीफ्लोरूम प्रजाति रुबीसेन्स के दलपुंज का बाहरी भाग गुलाबी तथा नीचे की तरफ सफेद होता है। पुष्प के खिलने पर पूरा पौधा देखने में अति रमणीय लगता है। यह हरियाली के मध्य तथा अलंकृत झाड़ी–पट्टिकाओं तथा उद्यान में लगाने के लिए उपयुक्त होता है। जड़ के रस को सर्पदंश में तथा सूखी पत्तियों का प्रलेप पुराने घाव पर लगाने से लाभ होता है।

जूही: जूही का संस्कृत नाम जुथिका, मुग्धी, सच्चीमल्लिका तथा अन्य भारतीय भाषाओं में इसका नाम जई, जूही (हिन्दी); युम्बुष्ठा, गुनिका, गोड़ेभिका (बंगाली); बनमल्लिका, जुई (उड़िया); आदवीमोल्ला, इत्तुदावीमोला (तेलुगु); उसीमल्लिगाई (तमिल) तथा कन्नड़ में काड़ावमल्लिगे, मध्यानामल्लिगे, वसन्तामुल्ले है। इसका वनस्पतिक नाम *जैस्मिनम आउरीकुलेटम* है।

यह लता अथवा वल्लरीनुमा, झाड़ीदार अथवा काष्ठीय आरोही एवं अधिकाधिक शाखायुक्त पौधा है। पत्तियां सरल अथवा त्रिपर्णी, हृदयाकार, डंठल के आधार पर 2 पत्रक भूरे रंग के तथा रोमिल होते हैं। पुष्प सफेद, तारानुमा तथा सुगंधित होते हैं।

फूल अप्रैल–जून तथा जुलाई–सितंबर में खिलते हैं तथा प्रसारण कलम द्वारा किया जाता है। पौध को 1.8 x 1.8 मीटर की दूरी पर अच्छे तथा अधिक पुष्प हेतु लगाया जाता है। फूल से सजाने के लिए माला या सुगंधित तेल, केश तेल तथा इत्र बनता है। कभी–कभी पौधों को बढ़ने के लिए सहारे की आवश्यकता पड़ती है। सूखी, पुरानी व रुग्ण शाखाओं को शीत ऋतु में काटकर निकाल देने से नई शाखाओं पर अधिक फूल आते हैं।

कलियों की बनावट के आधार पर पांच कृषि योग्य जातियां, लंबी तीक्ष्ण, छोटी तीक्ष्ण, लंबी गोल, मध्यम तीक्ष्ण तथा छोटी गोल उपलब्ध हैं। इसका देशज भारत है जो प्रायः दक्षिण भारत के जंगलों में पाया जाता है। इसकी खेती व्यावसायिक तौर पर उत्तर प्रदेश, बिहार तथा पश्चिम बंगाल में पुष्प से सुगंधित तेल प्राप्त करने के लिए की जाती है।

पत्तियों पर *गेरुई* अथवा रतुआ के प्रभाव से नारंगी रंग के चकत्ते पड़ जाने से पत्तियां पीली होकर, चिटक कर फट जाती हैं। जिस पर गंधक, 20–25 कि.ग्रा. प्रति हेक्टेयर या बोर्डोक्स मिश्रण के छिड़काव करने से बचाव होता है। पौधों पर गांठ बनाने वाली घुन के प्रभाव से पत्तियां बदरंग हो जाती हैं, जिस पर एल्ड्रीन का छिड़काव कम-से-कम 5 बार 10 दिन के अंतराल पर 2 पौंड 10% डब्लू. पी. प्रति 100 गैलन के परिमाण में करना चाहिए।

मोगरा: इसका सामान्य अंग्रेजी नाम अरेबियन जैस्मिन या टस्कान जैस्मिन, संस्कृत में मल्लिका तथा अन्य भारतीय भाषाओं में नाम मोगरा (हिन्दी); मोतिया, मोग्रा (बंगाली); बटमोग्री (मराठी); बोडडुमल्ले, गुन्डुमल्ले (तेलुगु); आदुक्कुमल्ली, गुन्डुमल्ली, कुडामल्लिगाई (तमिल); एलुसुत-तुमल्लिगे, कोलुमल्लिगे (कन्नड़); चेरुपिचुकम, कुडुमुल्ला (मलयालम) है। इसका वनस्पतिक नाम *जैस्मिनम सैम्बक* है।

सैम्बक का अर्थ अरबी भाषा में झाड़ी है तथा जाम्बक फारसी भाषा का शब्द है। सम्भवत: यह भारत (दक्षिण भारत) का पौधा है। पुष्प मार्च-जुलाई तक आते हैं। प्रसारण कलम तथा अंत:भूस्तारी द्वारा किया जाता है। इसे आवासों, उद्यानों, जमीन या गमले में तथा मंदिर के निकट लगाते हैं। पुष्प विष्णु की पूजा के लिए पवित्र माना जाता है तथा पुष्प की मांग माला बनाने तथा सामान्य सजावट हेतु अधिक होती है।

प्रभेद: जापानीज राई—पुष्प डबल, दलपुंज अत्यधिक घना, मोतिया—पुष्प का मध्यम आकार व डबल तथा राई—पुष्प डबल, मध्यम आकार तथा दलपुंज घना, गुन्डुमल्ली, रामबनम, सिंगल मोगरा, इरूवाची, कस्तूरीमल्ली, ओआसीमल्ली तथा सूजीमल्ली प्रमुख प्रभेद हैं। इन सभी अधिक प्रचलित प्रभेदों की खेती व्यवसायिक रूप से इसके पुष्प व इत्र के लिए की जाती है। जिनका अधिक मूल्य होने के कारण मांग भी अधिक है।

इसकी खेती के लिए सूखे स्थानों, उचित जल निकासी तथा सूर्य का पूर्ण प्रकाश आवश्यक है। पौधे को कम से कम 1.2 x 1.2 मी. की दूरी पर लगाते हैं, नई शाखाओं के विकास तथा सुंदर व अधिक पुष्प प्राप्त करने के लिए पौधों का कृंतन फूल आने के बाद अवश्य करना चाहिए। प्राय: पौधों पर कीड़े के प्रभाव से काले कवक का विकास होने पर पैराथिआन 0.025 प्रतिशत सान्डोविट (एक चिपचिपा पदार्थ) के साथ मिलाकर छिड़कना चाहिए। प्राय: पौधों में शोथिल्य अथवा उकठा रोग लगने से पौधे सूखने लगते हैं जिसके निदान हेतु एक प्रतिशत बोर्डो मिश्रण को मृदा में मिला देना चाहिए। पौधों में कोढ़ रोग प्राय: कीड़ों द्वारा संक्रमित होने पर होता है, जिसे कीटनाशक औषधियों द्वारा बचाया जा सकता है। माइट द्वारा भी यह संसर्गित होता है। इसका निदान जूही में वर्णित विधि द्वारा किया जाता है।

चमेली: चमेली का अंग्रेजी सामान्य नाम कॉमन जैस्मिन या स्पेनिश जैस्मिन है। अन्य भारतीय भाषाओं में इसका नाम चम्बेली, चेतकी, जाटी तथा मालती (संस्कृत); चमेली जाटी (हिन्दी,

बंगाली तथा गुजराती); जाजा मालती (तेलुगु); मनमादावनम् मुल्लाई (तमिल); पिचकामुल्ला (मलयालम) तथा जाटि मल्लिगे कन्नड़ में है। इसका वनस्पतिक नाम *जैस्मिनम ग्रॉन्डिफ्लोरम* या जैस्मिनम ऑफ्फिसिनेल तथा प्रभेद *ग्रान्डिफ्लोरम* है।

ग्रान्डीफ्लोरा का अर्थ बड़े पुष्प से है। इसका देशज उत्तर-पश्चिम हिमालय क्षेत्र है, जहां यह 2500 मी. की ऊंचाई तक पाया जाता है। इसकी खेती बहुतायत से मैदानी तथा पर्वतीय स्थानों पर की जाती है तथा व्यावसायिक तौर पर इसकी खेती फूलों की अत्यधिक मांग, इत्र उद्योग तथा पुष्प हेतु बड़े पैमाने पर, विशेषतया उत्तर प्रदेश के कुछ भागों में की जाती है।

आरोही झाड़ी, शाखाएं कोणीय, पत्तियां विपरीत, असमपिक्षकी, पत्रक 7-13 युग्म, शीर्षस्थ पत्रक अन्य पत्रकों की तुलना में लंबा, चमकीला हरा; पुष्प सफेद, नीचे की तरफ हल्के गुलाबी या लालिमा लिए हुए, अत्यधिक मधुर सुगंधित, पालित फैले हुए, तारानुमा; बाह्यदल पालितें बड़ी, रेखाकार; दलपुंज-नलिका बेलनाकार, लगभग 2 से.मी. लंबी, पालित 5, दीर्घवृत्ताकार अथवा अभिअंडाकार तथा पुंकेसर 2 होते हैं।

पुष्प मार्च-अक्टूबर में आते हैं लेकिन अगस्त-सितंबर में अधिक फूलते हैं। प्रसारण कलम तथा हवाई दाब द्वारा किया जाता है। पौधों के फूले हुए पर्व से जड़ें प्राकृतिक रूप में निकलती हैं, उन्हें अलग करके मृदा में लगा देते हैं। अच्छे विकास तथा अधिक पैदावार हेतु पौध से पौध की दूरी 2 x 1.5 मीटर रखनी चाहिए।

पौधे को दिवार तथा जालीदार ढांचों पर चढ़ाने के लिए उचित सहारा देना आवश्यक है; सूखी तथा खिली हुई शाखाओं का कृंतन नवंबर-दिसंबर में करना उचित होता है। पौधों के समुचित विकास तथा अधिक पुष्प हेतु मार्च-सितंबर में खाद देनी चाहिए। झुलसा के आक्रमण से पत्तियों के ऊपरी भाग पर लाल-भूरे गोल धब्बे बन जाते हैं, फलस्वरूप फूल कम निकलते हैं जिसको 0.4% बेनलाट, 0.2% डाइथेन, 0.1% बेवास्टिन तथा बार्डो मिश्रण के छिड़काव से नियंत्रित किया जाता है। पुष्प हार बनाने, सजावट के काम तथा धार्मिक उत्सवों में प्रयोग किया जाता है। पुष्प से निकले हुए सुगंधित तेल की अत्यधिक मांग रहती है।

पौधे के रस का आंत के कृमि-नाशक के रूप में तथा बिच्छू-दंश में विषनाशक के रूप में प्रयोग होता है। साधारण तौर पर जैस्मिन पर कलियों की सूंडी, गैलरी-कीड़ा, टिनगिड तथा चुइयां द्वारा प्रभावित होने पर गेमेक्सिन (6%) का छिड़काव करते हैं।

स्वदेशी जैस्मिन के अंतर्गत *जैस्मिन आम्लेक्सिकाउले*—जंगली जैस्मिन; वनमल्लिका- *जै. अंगुस्टिफोलियम,* ट्री जैस्मिन 'बेला', *जै. आर्बोरिसेन्स, जै. कास्पिडेटुम* 'मालती', *जै. फ्लेक्साइले , जै. मालाबारिकम, जै. पार्केरी , जै. स्कान्डेन्स, जै. सेस्सिलिफ्लोरुम, जै. ट्रीनर्वे,* सफेद पुष्पों वाले होते हैं तथा येलो जैस्मिन या 'पीली चमेली' *जै. हुमाइले*

तथा प्राइमरोज जैस्मिन, *जै. मेस्नाई* का पुष्प पीला होता है, जबकि विदेशी जैस्मिन की जातियों में *जै. निटिडुम* —आइमोरेंटली द्वीप समूह तथा *जै. अजोरिकम* — कनारी द्वीप समूह का पुष्प सफेद तथा सुगंधित होने के कारण सुगंधित तेल हेतु लगाया जाता है। साधारणतया इन सभी जातियों का प्रसारण कलम तथा दाब विधि द्वारा किया जाता है।

सदाबहार

सदाबहार का अंग्रेजी नाम माडागॉस्कर पेरीविंकल, विन्का या ओल्ड मैड है। इसका भारतीय भाषाओं में प्रादेशिक नाम हिन्दी में सदाबहार, सदा-फुली; बंगाली में नयनतारा; उड़िया में आइनस्काटी; मराठी में सादा-फूल; तेलुगु में बिल्लांगामेनु; तमिल में सुदकाडु मल्लिकाई तथा मलयालम में उषामल्लारी है। इसका वनस्पतिक नाम *काथारान्थुस रोज़ीएस* या *विन्का रोज़ीआ* है जो अपोसाइनेसी कुल में आता है।

काथारान्थुस ग्रीक शब्द काथारहास- अर्थात शुद्ध तथा *अन्थोस* का अर्थ फूल है। *विन्का* लैटिन शब्द विन-का का प्राचीन नाम है तथा *रोज़ीएस* या रोज़ीआ का अर्थ गुलाबी रंग का फूल है।

यह वेस्टइंडीज का पौधा है, जिसका भारत में प्रथम प्रवेशन 1794 के पूर्व इसके सुंदर पुष्प तथा औषधीय गुण स्वरूप किया गया। इसे सामान्य रूप से उद्यानों में पत्थर-उद्यान, क्यारियों तथा गमलों में, अनुपयुक्त भूमि में लगाते हैं।

यह किसी भी प्रकार की मृदा में बिना विशेष देख-रेख के लगाया जा सकता है। फूल खिलने के लिए सूर्य का प्रकाश आवश्यक है। बीज एवं तने की कोमल शाखाओं की कलम द्वारा इसे आसानी से लगाया जा सकता हैं; बीज द्वारा रोपित पौधों में पुष्प एक वर्ष के मध्य ही आने लगते हैं।

साधारणतया प्रभेद रोज़ीआ अल्बा में पुष्प सफेद तथा मध्य में चमकीला लाल या गुलाबी दाग तथा प्रभेद रोज़ीआ वेरीएगाटा की पत्तियां सफेद-चितकबरी होती हैं तथा इनकी खेती की जाती है।

औषधिय तौर पर जड़ों में कई प्रकार के क्षार पाये जाते हैं जिनमें से एक कैंसर प्रतिरोधी गुण रखता है। पौधे के समस्त भाग को मधुमेह तथा रस को बर्रे के डंक मारने में दिया जाता है।

झाड़ी उच्छीर्ण, 50 से.मी. से 80 से.मी. ऊंची तथा कई शाखाएं होती हैं। पत्तियां-विपरीत, आयताकार, चिकनी व चमकदार, ऊपरी सतह हरी तथा नीचे की तरफ हल्की हरी तथा मध्य की शिरा सफेद होती है। पुष्प गुलाबी-बैंगनी या गुलाबी-लाल तथा मध्य भाग नील-लोहित या संपूर्ण सफेद, तारानुमा, लगभग 4 से.मी. व्यास के अकेले या कक्षस्थ युग्म में तथा सुगंधित होते हैं। दलपुंज नलिका पतली-दुर्बल, बेलनाकार, हरापन लिए, लगभग 2.5 से.मी. लंबी होती हैं। पुंकेसर 5 होते हैं जो नलिका के फूले भाग पर लगे होते हैं। फल जोड़े में, लगभग 2.5 से.मी. लंबे होते हैं जिनके मध्य छोटे-छोटे कई बीज होते हैं।

पारिजात या हरसिंगार

हरसिंगार या पारिजात का सामान्य अंग्रेजी नाम नाइट जैस्मिन, कोरल जैस्मिन, सोरोफुल ट्री, नाइट फ्लावरिंग जैस्मिन या इंडियन मोउर्नर, तथा भारतीय भाषाओं में नाम पारिजात, शेफालिका (संस्कृत); शीवली (बंगाली); गोडाकोडिका (उड़िया); कपिलानेगादुस्तु, पारिजातम् (तेलुगु); मंजप्पु (तमिल); हरसिंग, पारिजात (कन्नड़); पर्वीझामाल्स, पारिजातकोम् (मलयालम) है। इसका वनस्पतिक नाम *निक्टैन्थस आर्बोरट्रिस्टिस* है तथा निक्टैन्थासी कुल (पहले ओलियेसी) में आता है।

निक्टैन्थस - ग्रीक के दो शब्द 'निवस' (रात्रि) तथा 'अन्थोस' (एक पुष्प) से मिलकर बना है- जिसका सामूहिक अर्थ रात्रि में खिलने वाला पुष्प तथा *आर्बोरट्रस्टिस* का लैटिन अर्थ शोक वृक्ष या हल्के रंग का वृक्ष है।

यह भारत देशज का वृक्ष है। यह अर्ध-हिमालय क्षेत्र में 1500 मीटर की ऊंचाई तक जंगलों में पाया जाता है। छोटानागपुर, राजस्थान, मध्यप्रदेश, छत्तीसगढ़ तथा दक्षिण में गोदावरी तक पाया जाता है। इसे भारत के प्रायः सभी उद्यानों में इसके असंख्य तारानुमा, सफेद पुष्प हेतु लगाते हैं जो मध्य में नारंगी तथा प्रचुर सुगंध वाला होता है। यह रात्रि में खिलकर सूर्योदय के पूर्व जमीन पर गिरकर वृक्ष के नीचे एक सफेद चादर की तरह फैलकर दर्शकों को एक लुभावना, मनोहारी दृश्य प्रस्तुत करता है। पौराणिक कथाओं के अनुसार यह 'ट्री ऑफ पैराडाइज़' अर्थात स्वर्ग का वृक्ष है। पौराणिक मान्यता के अनुसार यह समुद्र मंथन में प्राप्त हुआ था।

यह काष्ठीय, लंबी झाड़ी अथवा छोटा, 2-5 मी. ऊंचा, पर्णपाती वृक्ष है। छाल मोटी, खुरदरी तथा हल्के भूरे रंग की होती है। शाखाएं फैली हुई होती हैं तथा प्रायः मूलकांड के आधार से निकली कोमल जलीय शाखाएं सीधी एवं चार कोणीय होती हैं। पत्तियां

विपरीत, युग्म में, सरल, अंडाकार, लंबाग्र तथा ऊपरी सतह खुरदुरी तथा नीचे अधिक रोमयुक्त होती है व किनारा दंतुर होता है। पुष्प शाखाओं के अंतिम छोर पर कक्षस्थ तथा शीर्षस्थ, त्रिशाखीय ससीमाक्ष, छोटे समूहों में निकलते हैं; दलपुंज सफेद, 2.5 – 3.से.मी. के व्यास के, विभिन्न आकार के, 5–8 पालियुक्त; दलपुंज नलिका नारंगी अथवा नारंगी-लाल, लगभग एक से.मी. लंबी तथा अत्यधिक सुगंधित होती है। फल एक, चपटा, गोलाकार, कागजी फली दो भागों में विभक्त होती है तथा प्रत्येक भाग में एक बीज होता है।

वृक्ष में पतझड़ शीत ऋतु में होता है जो पर्णपाती अवस्था में भद्दा लगता है, लेकिन संपूर्ण खिलने पर मनोहारी तथा आकर्षक लगता है। प्रायः सभी उद्यानों तथा आवासीय स्थानों में लगाया जाता है। पुष्प सितंबर–जनवरी तथा फल नवंबर–मई तक आते हैं।

सामान्यतया प्रसारण बीज द्वारा होता है और कलम विधि से कम किया जाता है। बीजों में अंकुरण शीघ्र होता है तथा पौध रोपण के बाद फूल दो वर्ष के अंदर आने लगते हैं। पुष्प तथा फल आने के उपरांत सूखी तथा पुरानी शाखाओं का कृंतन कर देते हैं। बड़ी ही आसानीपूर्वक यह छायादार स्थानों में लगाया जा सकता है तथा यह किसी भी प्रकार की मृदा तथा सूखी जलवायु में सुगमता से लगाया जा सकता है। 3–4 वर्ष के बाद पौधे का आकार भद्दा दिखने लगता है, इसलिए नई शक्तिशाली शाखाओं तथा अधिक पुष्प के लिए कृंतन करना आवश्यक है।

कभी-कभी पौधों की पत्तियों पर चूर्णिल आसिता का प्रकोप हो जाने से गंधक के चूर्ण का छिड़काव करना हितकर होता है। रोमिल इल्ली से बचाव हेतु बेन्जीन-हेक्सा-क्लोराइड का छिड़काव ठीक रहता है।

पुष्प देवी-देवताओं को पूजा में चढ़ाया जाता है तथा माला बनाने के काम आता है। पुष्प से एक प्रकार का जैस्मिन की तरह सुगंधित तेल निकलता है। फूलों से एक प्रकार का रंगीन पदार्थ भी निकलता है जो रेशम तथा ऊन रंगने में प्रयुक्त होता है। पत्तियां ज्वर, वात रोग, गठिया तथा आंत की कृमि नाशक के रूप में दी जाती हैं।

राधाचूड़ा या गुलतोड़

राधाचूड़ा का सामान्य अंग्रेजी नाम पीकॉक फ्लॉवर, ड्वार्फ फेन्स व संस्कृत में रत्नगंधी है। भारतीय प्रादेशिक भाषाओं में नाम, गुलतोड़ा (हिन्दी); कृष्णचुरा (बंगाली); सान्धेशारो (गुजराती); पमिडिटान्गेड़ु (तेलुगु); माइकोन्नल (तमिल) तथा सेतिमन्डरम मलयालम में है। इसका वनस्पतिक नाम *सीसाल्पीनीआ पुल्चेरिमा है* जो सीसाल्पीनेसी कुल में आता है।

सीसाल्पीनीआ नाम इटली के एक प्रसिद्ध वनस्पतिज्ञ, आन्ड्रीआस सीसाल्पीनस (1519–1603) के नाम पर दिया गया तथा *पुल्चेरिमा* का लैटिन अर्थ अति सुंदर, इसके पुष्प पर आधारित है।

यह वेस्टइंडीज का पौधा है। इसको प्रचुरतापूर्वक उद्यानों तथा उपवनों में व झाड़ी-पट्टिकाओं में सुरक्षात्मक पुष्पीय बाड़ हेतु लगाते हैं। इसकी खेती भारत में 1680 के पूर्व से ही की जा रही है।

यह 2.5–3.0 मी. ऊंची झाड़ी है। छाल चमकीली, सफेद भूरी तथा शाखाएं कांटेयुक्त होती हैं। पत्तियां द्विपीक्षाकार, संयुक्तपत्री, 3–9 जोड़े, पिक्षकी जिसमें 5–12 जोड़े आयताकार पत्रक, बहुत ही छोटे वृंत तथा प्रत्येक वृंत पर एक जोड़े अनुपर्ण होते हैं। पुष्प नारंगी, अंगूरी–लाल रंग के; शीर्षस्थ प्रारुपिक असीमाक्ष अथवा संयुक्त रेसीम 20–80 से.मी. लंबे होते हैं। बाह्यदल पर लाल तथा हरे रंग का दाग होता है; दलपुंज लगभग 2.0 से.मी. लंबा, किनारे पर पालित तथा मध्य भाग रंगीन, लोहित–लाल, गुलाबी–लाल होता है। पुंकेसर लंबे तथा चमकीले लाल, गुलमोहर के पुष्प की तरह होते हैं, लेकिन आकार छोटा होता है। फल चपटी फली होती है जिसमें 3–4 भूरे रंग के चमकीले बीज होते हैं।

पुष्प वर्ष भर आते हैं लेकिन फरवरी–अप्रैल तथा सितंबर–नवंबर में अधिक आते हैं। फल नवंबर–अप्रैल में आते हैं। प्रसारण बीज तथा मुलायम शाखाओं की कलम द्वारा बालू में लगाकर करते हैं।

यद्यपि इसे किसी भी प्रकार की मृदा में लगाया जा सकता है लेकिन यौगिक खाद अथवा रासायनिक उर्वरक मिश्रित खाद में पौधों का उचित विकास होता है। पुष्प बड़े व सुंदर लंबे संयुक्त रेसीम में निकलते हैं।

पुल्चेरिमा फ्लावा— पुष्प चमकीला पीला; पुल्चेरिमा रोजीआ–गुलाबी–लाल तथा पुल्चेरिमा रूब्रा–लाल तथा किनारे पीले वाले प्रभेद मुख्यतया उद्यानों में पाये जाते हैं।

इसके रमणीय व अलंकृत गुणों के अतिरिक्त पुष्प से एक प्रकार का रंग निकलता है। फल से छाल–सत्व, पत्तियां रेचक तथा ज्वर निवारण हेतु दी जाती हैं।

गुलाब

गुलाब अपने सुंदर, रमणीय, विभिन्न आकार, रंग व अति विशिष्ट सुगंध के कारण संपूर्ण पुष्प जगत में अपना एक महत्वपूर्ण स्थान रखता है। ग्रीक कवियत्री सोफ़ो ने अपनी कविता 'ऑडे टू दी रोज़' में गुलाब के पुष्प को 'क्वीन ऑफ़ फ्लावर्स' (पुष्पों की रानी) शब्दों से महिमामंडित किया है। अनेक मुगल राजा, विशेषकर रानी नूरजहां इसे अत्यधिक सम्मान देते थे। कवियों तथा अन्य प्रशंसकों ने भी समय–समय पर इसकी सराहना की है।

आधुनिक समय में भी इसकी महत्ता सर्वविदित है। इसके अभाव में अलंकृत बागवानी अधूरी है।

संस्कृत साहित्य में यह 'तरुणी पुष्पा', 'अतिमंजुला' तथा 'सामान्तिका' नाम से उल्लेखित है। सम्भवतः इसकी खेती लगभग छह करोड़ वर्ष पूर्व ही शुरू हो गई थी। विश्व के अन्य भागों में इसका विस्तार सम्भवतः एशिया विशेषकर भारत तथा फ़ारस से हुआ। कोलोरॉडो के खनन में प्राप्त प्राचीनतम जीवाश्म (लगभग 4 करोड़ वर्ष) पर गुलाब की पत्तियों के छापे पाये गये थे। चीन में जंगली गुलाब की खेती लगभग 5000 वर्ष पूर्व से होती आ रही है।

वनस्पतिशास्त्र में गुलाब का वंश नाम रोज़ा है, रो-जा, एक प्राचीन लैटिन नाम है। यह सेब कुल रोज़ेसी में आता है। प्रायः उष्णकटिबंधिय पर्वतमालाओं के अंतर्गत शीत प्रदेशों में, विशेषकर एशिया में पाया जाता है।

विश्व की लगभग 120 जातियों में से भारत में 10 जंगली जातियों के गुलाब पाये जाते हैं एवं 4 अन्य जातियों की खेती इनकी सुंदरता तथा आर्थिक महत्व जैसे इत्र, गुलाबजल, गुलकंद, इत्यादि उद्देश्य से की जाती है।

इसको पुरानी दिवार, स्तंभ को ढकने, मेहराब, लता मंडप, ढांचों पर चढ़ाने, अलंकृत बाड़, हरियाली के मध्य या किनारे, क्यारियों, गमले, इत्यादि में लगाते हैं। पुष्प से हार, पुष्प गुच्छ बनता है तथा पुष्प प्रेम का प्रतीक भी माना गया है।

यह उच्छीर्ण या आरोही, कांटेदार झाड़ी होती है। पत्तियां एकांतर, असमपिक्षकी, पत्रक पर्णपाती या डंठल के आधार पर; अनुपत्र अनपाती; पुष्प एकाकी या कॉरिम्ब में; बाह्यदल नलिका गोलाकार या अंडाकार या सुराही की गर्दन की भांति पतली; पालितें 4-5; पंखुड़ी 4-5, चौड़ी तथा प्रायः गोलाकार तथा बाह्यदल नलिका के ऊपर बड़ा आवरण होता है। इसके ऊपर कई पीले रंग के पुंकेसर होते हैं। अंडप कई होते हैं। फल एक, रसदार, बाह्यदल का रूपान्तर होता है, जिसे 'रोज हिप' कहते हैं। इसके मध्य कई कड़े बीज होते हैं। पुष्प पूरे वर्ष पाये जाते हैं।

सामान्य स्वदेशी गुलाब संकरण में प्रयुक्त होते हैं: *कॉमन इंग्लिस डॉग रोज़ या ह्वाइट कॉटेज रोज़-* इसका वनस्पतिक नाम *रोजा अल्बा* है तथा भारतीय भाषाओं में नाम गुलाब (हिन्दी); स्वेत गोलाप (बंगाली); गुल सेओती (पंजाबी); सोबोती (उड़िया) तथा कन्नड़ में मुल्लुसेवान्तिगे है।

यह कम कांटेदार, 2 मी. तक ऊंची झाड़ी होती है; पत्रक 5-7, आयताकार से चौड़े, दीर्घाकार से अंडाकार, ऊपरी सतह चिकनी तथा निचला भाग रोएंदार होता है। पुष्प सफेद, नीलापन लिये हुए या गुलाबी, सिंगल अथवा डबल, 5-8 से.मी. व्यास में,

बहुत सुगंधित होता है। बाह्यदल बड़ा; फल आयताकार या अंडाकार, भड़कीले लाल होते हैं। यह सम्भवतः *रोजा गालिका* तथा *रोजा कैनिना प्रभेद डुमेटोरुम* की संकर प्रजाति है। पुष्प सुंदर तथा शीतलतादायक, हृदय-कंपन या धड़कन में उपयोगी होता है तथा सुगंधित तेल बनाने के काम आता है।

बारहमासी गुलाब: इसका सामान्य नाम एडवर्ड रोज़, बोखन रोज़, *रोज़ा बाउर्बोनिआना* है। हिन्दी में चिनिआ गुलाब, देसी गुलाब, बाराहमासी तथा तमिल में राजाप्पु कहते हैं। यह उच्छीर्ण कांटेदार, 2.5 मी. ऊंची झाड़ी होती है। पत्रक 5-7, अंडाकार से भालाकार, 2.5 से 5 से.मी. लंबा, ऊपरी तल चमकदार, लेकिन निचला भाग रोमयुक्त होता है। पुष्प एकाकी या कॉरिम्ब में, लाल या नील-लोहित, डबल या अर्ध डबल तथा सुगंधित होता है।

यह सम्भवतः *रोज़ा चीनेन्सिस* तथा दमस्क गुलाब, *रोज़ा डामासीना* का संकर है। इसकी खेती सामान्यतया सुगंधित कटे पुष्प तथा गुलाब जल निकालने के लिए की जाती है। साधारणतया इसको कलिकायन प्रसारण हेतु मूलवृन्त के रूप में तथा नई संकर प्रजातियों को तैयार करने के लिए प्रयोग किया जाता है।

चीन का गुलाब: चाइना गुलाब, बंगाल रोज़, मन्थली रोज़ को बंगाली में गुलाब कहते हैं। इसका वनस्पतिक नाम *रोज़ा चाइनेन्सिस* है। यह 1-3 मीटर ऊंची, सदाबहार झाड़ी है जिसकी शाखाएं लंबी व दुर्बल, कांटेयुक्त, कभी-कभी कांटेरहित भी होती हैं। पत्रक 5-7, लंबाग्र, ऊपरी सतह चमकीली, नीचे की सतह हल्के रंग की तथा चिकनी; अनुपत्र गिल्टीदार, बरौनी की तरह पतले तथा लाल या गुलाबी होते हैं। पुष्प गहरे लाल अथवा गुलाबी रंग के, लंबे गंठीले या गिल्टीदार वृंत पर लगे होते हैं। फल लट्टू के आकार का होता है। पुष्प प्रायः वर्ष भर आते रहते हैं। औषधीय रूप में रोज़-हिप (फल) को घाव, मोच तथा नासूर पर लगाया जाता है।

हिमालयन मस्क गुलाब, *रोज़ा ब्रनोनी* या *रोज़ा मॉस्चाटा* — पुष्प सफेद; बन गुलाब-*रोज़ा मैक्राफाइला*—गुलाबी पुष्प; मणीपुर का जंगली टी रोज़-*रोज़ा गिगान्टीआ*-सफेद पुष्प तथा *रोज़ा सेरेसिया*—पुष्प हल्का पीला। इनका देशज भारत है तथा सभी उपरोक्त वर्णित जातियों के पुष्प सुगंधित होते हैं।

बोरबर्न गुलाब, कॉमन इंग्लिस डॉग रोज़ तथा डमस्क गुलाब के पुष्प सुगंधित होते हैं, लेकिन यह सजाने तथा पुष्प गुच्छ के लिए अपने आकार व माप के कारण अनुपयुक्त होते हैं। इनको लंबे समय तक नहीं रख सकते हैं। यद्यपि इनकी व्यवसायिक खेती इनकी सुंदरता तथा गुलाब जल, इत्र तथा अन्य गुलाब जल संबंधित उत्पाद हेतु की जाती है।

वर्तमान गुलाब जिसकी खेती अलंकृत पुष्पों के लिए की जाती है, एक मिश्रित/संयुक्त संकर प्रजाति है। जो एक वर्ग के नर का दूसरे वर्ग की मादा से संयोग तथा

संतति के चयन द्वारा पैदा की गई है। अन्ततः 10,000 संकर जातियां, विभिन्न रंग, आकार व बनावट के साथ-साथ दीर्घकाल तक ताजा रहने की क्षमता वाली तैयार की गई हैं जो पुष्पों की खेती करने वाले तथा व्यक्तिगत उद्यान प्रेमियों के लिए एक विशेष आकर्षण का विषय है।

आरोही गुलाब को मेहराब, जालियों के ढांचे, लता मंडपों, खिड़कियों के चारों तरफ, प्रवेशद्वार के ऊपर, मंजिल की ड्योढ़ि या ओसारे के ऊपर, घर तथा उद्यान की चारदिवारी, दिवार तथा खंभों को ढकने के लिए प्रयुक्त करते हैं।

उद्यान के गुलाबों की किस्मों का वर्गीकरण इस प्रकार है:

हाइब्रिड टी, दी टीस, फ्लारीबन्डा, ड्वार्फ (नाटे कद का), पॉलीएन्थास, चाइना गुलाब, मिनिएचर, दमस्क गुलाब, बारेबन गुलाब, कैबेज गुलाब, मॉस गुलाब, फ्रेंच गुलाब, अल्बन, मश्क गुलाब, नोयसेट गुलाब, रूगोसा, स्कॉट ब्रायर्स, माडर्न श्रब; रोज़ा की जातियां-आस्ट्रेलियन ब्रायर्स हैं तथा बिचुरिआना रैम्बलर्स तथा इस वर्ग के अंतर्गत बहुत से प्रभेदों की खेती की जाती है।

गुलाब की खेती के लिए खुली चौरस भूमि, खुला स्थान, जहां सूर्य का प्रकाश अधिक समय तक हो, उपयुक्त होता है। भुर-भुरी चिकनी, दोमट मृदा के साथ सड़ी गोबर की खाद एवं उचित जल निकास पौधों के विकास तथा अच्छे पुष्प आने के लिये उपयुक्त होता है।

सूखे तथा पुराने पुष्प और फूल चुकी शाखाओं का कृंतन, स्थान विशेष तथा किस्मों/जातियों के आधार पर अलग-अलग मौसमों में किया जाता है। दिल्ली के वातावरण में कृंतन 7-14 अक्टूबर के मध्य; बेंगलुरू में वर्ष में दो बार, जून के अंत में तथा पुनः दिसंबर के अंत में, पश्चिम बंगाल के मैदानी भागों में अक्टूबर के उत्तरार्ध या नवंबर के पूर्वार्ध में, मुंबई क्षेत्र में कृंतन वर्ष में दो बार करते हैं। शीतऋतु में पुष्प आने हेतु नवंबर के प्रथम सप्ताह तथा बरसात में फूल आने के लिए जून के प्रथम सप्ताह में, बोरबन गुलाब का कृंतन नवंबर में तथा दमस्क गुलाब का कृंतन दिसंबर के अंतिम सप्ताह में करने से पुष्प अधिक आते हैं।

यद्यपि पर्वतीय क्षेत्रों में लगाये गये गुलाबों का कृंतन मार्च के अंत तथा अप्रैल में किया जाता है। तदुपरान्त उचित मात्रा में रासायनिक तथा गोबर की खाद देनी चाहिए। कई प्रकार की खादों के मिश्रण देने हेतु स्थान तथा जलवायु के आधार पर विचार करके सुझाव दिया गया है। फिर भी 5 कि.ग्रा. मूंगफली की खली, 6 कि.ग्रा. हड्डी का चूरा, 2 कि.ग्रा. अमोनियम फॉस्फेट, 1 कि.ग्रा. पोटेशियम सल्फेट के मिश्रण को 50-100 ग्राम प्रति पौधा देना लाभदायक होता है। रासायनिक खादों की द्रव खाद भी अच्छी होती है, इसके लिए 1 औंस अमोनियम सल्फेट, 2 औंस सुपर फॉस्फेट, 1 औंस आयरन

सल्फेट, 8 गैलन पानी में घोल बनाकर, 2 गैलन प्रति पौधे की दर से देनी चाहिए। जड़ों के पास खाद देने की अपेक्षा खाद का छिड़काव पौधों की पत्तियों पर करना विशेष लाभदायक होता है।

यूरिया, डाइहाइड्रोजन अमोनियम फॉस्फेट, पोटेसियम नाइट्रेट तथा पोटेसियम फॉस्फेट 2:1:1:1 के अनुपात में 30 ग्राम मिश्रण को 10 लीटर पानी में घोलकर पत्तियों की दोनों सतह पर छिड़काव करने से आशाजनक परिणाम निकलता है। कार्बनिक तथा अकार्बनिक खाद का मिश्रण— उदाहरणार्थ 8–10 कि.ग्रा. गोबर की खाद तथा 60 ग्राम हड्डी के चूर्ण का मिश्रण प्रति पौधे की दर से दिल्ली के वातावरण में बहुत श्रेयस्कर होता है लेकिन पौधों की जड़ के निकट, जल भराव से बचाव बहुत ही आवश्यक है। पौधे से पौधे की दूरी प्ररूप तथा प्रभेद पर निर्भर करती है। साधारणतया पौध से पौध तथा 2 कतारों के बीच की दूरी 60–70 से.मी. होनी चाहिए। नाटे कद पालिएन्था को 45 से.मी. की दूरी तथा आरोही गुलाबों को 3 मीटर की दूरी पर लगाते हैं।

यद्यपि क्यारियों की अपेक्षा गमले में पौधे बहुत अच्छे पुष्प नहीं देते लेकिन थोड़े से ही रख–रखाव तथा उचित खाद देकर अच्छे पुष्प लाये जा सकते हैं। इसके लिए 60 से.मी. ऊंचे तथा 35 से.मी. चौड़े मिट्टी के गमले उपयुक्त होते हैं। प्रसारण बीज द्वारा नई संकर जातियों को पैदा करके, मूलवृन्त, कलम, कलिकायन, दाब तथा रोपण विधि द्वारा किया जाता है। आधुनिक संकर गुलाबों का प्रसारण सामान्यतया कलिकायन विधि द्वारा किया जाता है।

गुलाब पर लाल चुइयां का प्रकोप होने से हाथ से रगड़कर उसके ऊपर 0.1त्र इथाइल पाराथियॉन लगाते हैं। काटने वाले कीड़ों से बचाव हेतु 0.2त्र डी.डी.टी. का छिड़काव, माहू को बासुडिन या मेलाथियॉन का छिड़काव, 10 मिलीलीटर भाग 10 लीटर पानी में हर 15 दिनों के अंतराल पर दुबारा छिड़काव, दीमक तथा चीटियों पर 5त्र डी.डी.टी. तथा 5त्र बेन्जीन हैक्साक्लोराइड 1:1 के अनुपात में 3 ग्राम प्रति पौध या फिनायल में हींग मिलाकर छिड़काव; तना छेदक बर्रे से बचाव हेतु डी.डी.टी. तथा बी.एच.सी. के मिश्रण को कृंतन की हुई शाखाओं पर लगाना चाहिए। डाई–बैक एक सामान्य रोग है जिसके लिए संसर्गित स्थानों को कृंतन करके अलग कर देने के बाद कवकरोधी–कॉपर कार्बोनेट, रेड लेड, अलसी के तेल में 4:4:5 के अनुपात में मिलाकर 10 दिन के अंतराल से पुताई करनी चाहिए।

बेनलेट, कॉप्टन, काराथेन, बायेलेटान, बावास्टिन, आग्रेजिम, कालिक्सिन तथा मिमोरोड कवकरोधी बचाव हेतु प्रयुक्त होता है। नम तथा आर्द्र वातावरण में पत्तियों पर चुर्णिल आसिता का प्रकोप होने से गंधक का चूर्ण या बोर्डो मिश्रण का छिड़काव करते हैं। पत्तियों तथा डंठलों पर कवक के प्रभाव से काले, लाल, नारंगी रंग के छोटे–छोटे धब्बे दिखाई पड़ते हैं। फलस्वरूप पत्तियां गिरने लगती हैं व पुष्प कम निकलते

हैं। इससे बचाव हेतु 0.2% फरबान (हेक्साफर्ब) या कॉप्टन का छिड़काव करना चाहिए तथा रोग पहचान के तुरंत बाद संसर्गित पत्तियों को एकत्र करके जला देना चाहिए। तना अंगमारी रोग, डाइबैक के कारण होने से कॉप्टन (2000 पी.पी.एम. यानी एक लाख भाग में 2000 भाग) का नियमित छिड़काव करते हैं।

कोई भी गुलाब रहित उद्यान अपने में अपूर्ण है। चुनिंदा प्रजातियों का न्यायोचित चुनाव तथा उन्हें लगाना उद्यान की शोभा बढ़ाता है। सौंदर्यबोध का सृजन करके एक मानसिक संतोष के साथ-साथ पुष्प एवं तत्संबन्धित उपज धनोपार्जन का भी एक साधन है। स्व. पंडित जवाहरलाल नेहरू, भारत के प्रथम प्रधानमंत्री तथा गुलाब के विशेष प्रेमी ने गेहूं तथा गुलाब की तत्थ्यात्मक तुलना इस प्रकार की है।

''गेहूं एक खाद्य पदार्थ है जो शरीर का विकास करता है। जबकि गुलाब सौंदर्यबोध की संतुष्टि प्रदान करता है। दोनों ही मनुष्य के लिए आवश्यक हैं, गेहूं शक्ति व स्वास्थ्य का तथा गुलाब सौंदर्यबोध का पूर्तिदायक है।''

गुलाब की लोकप्रियता एवं अधिक मांग के कारण भारत में एक गुलाब सोसायटी स्थापित की गयी है जिसका मुख्यालय नई दिल्ली में है। उद्यान विज्ञान प्रभाग, भारतीय कृषि अनुसंधान संस्थान को गुलाब के लिए अंतर्राष्ट्रीय पंजीकरण केंद्र मनोनीत किया गया है।

कचनार

साधारणतया कचनार को वनस्पति विज्ञान में *बाउहीनिया* कहते हैं। इसका नाम स्विटजरलैंड के बाउहीन कास्पर (1560-1624) तथा जीयन जोहानेस-दो जुड़वां भाइयों के नाम पर पड़ा है, जो 16 वीं शताब्दी के पौध विशेषज्ञ थे। इस वंश में दो पत्रक साथ में मिलकर/जुड़कर एक पत्ती बनाते हैं। विश्व में इस वंश के अंतर्गत 300 जातियां तथा भारत में कुल 18 जातियां पाई जाती हैं। इसके अंदर लताएं, झाड़ियां तथा वृक्ष भी हैं, जिसके पुष्प कई प्रकार के आकर्षक रंगों के होते हैं जो देखने में अति सुंदर होते हैं। भारत के उद्यानों तथा सड़कों के किनारे कचनार की अनेक जातियां लगायी जाती हैं, जिसमें से दस विदेशी हैं। इसके अंतर्गत निम्न जातियां प्रमुख हैं:

सफेद कंचन:- सफेद कंचन को बंगाली तथा हिन्दी में कंचन व कचनार कहते हैं। संस्कृत में शिवामाल्ली; तमिल में कोक्कुमन्डाराई तथा मलयालम में वेल्लुथामनडरम कहते हैं। इसका वनस्पतिक नाम *बाउहीनीआ एकुमिनाटा* है जो सीसाल्पिनेसी कुल के अंतर्गत आता है। *एकुमिनाटा* का तात्पर्य पत्तियों के तीक्ष्ण एवं नुकीले दो उभार से है।

यह मूल रूप से भारत का पौधा है जो विशेषकर दक्षिण के पठारी भाग से लेकर उत्तर-पश्चिम भारत, अंडमान-निकोबार द्वीप समूह, मेघालय, नागालैंड तथा पश्चिम बंगाल में पाया जाता है। अपनी खूबसूरत पत्तियों तथा बड़े सफेद, पीनशिफ्र (आर्किड) की भांति पुष्प एवं दीर्घकालिक पुष्प आने के कारण भारत के उद्यानों में प्रचुरता से लगाया जाता है। भारतीय वनस्पतिशास्त्र के जनक विलियम रॉक्सबर्ग के अनुसार 'यह एक बहुत विशेष पौधा अपने विलक्षण व सुंदर पुष्प हेतु, उद्यानों में लगाने के योग्य है।'

यह बड़ा, झाड़ीनुमा पौधा होता है, जिसकी शाखाएं लाल-भूरे रंग की तथा रोमिल होती हैं, पत्तियां 2 भागों में उभार लिये हुए, चिकनी, नुकीली, 9-11 शिराएं पत्तियों के आधार से निकलती हैं; पुष्प संपूर्ण सफेद, कक्षस्थ कॉरिम्ब में, लगभग 5-7 से.मी. व्यास के तथा पंखुड़ियां फैली होती हैं। चपटी फलियों में 8-12 बीज होते हैं।

फूल प्राय: वर्षभर आते हैं लेकिन मार्च-सितंबर तक बहुतायत में आते हैं। फल अप्रैल-सितंबर में लगते हैं। इसका प्रसारण बीज एवं कलम द्वारा आसानी से किया जाता है। साधारणतया बीज द्वारा तैयार पौधों में फूल 2 वर्ष के उपरांत आने लगते हैं। यह सभी परिस्थितियों तथा कम देख-रेख में आसानी से लगाया जा सकता है। पौधों को अच्छा आकार देने एवं अधिक पुष्पों के लिए रोग ग्रस्त व निर्बल शाखाओं का कृंतन कर देना चाहिए।

एक भृंगक*बोटोसेरा रुफोमाकुलाटा* पौधों पर आक्रमण करता है जिसके लिए पाराडिक्लोरोबेंजीन, करोसीन (मिट्टी का तेल) या ईंधन के तेल को कीट-डिम्ब की सुरंग में डालते हैं।

पौधों का औषधीय महत्व भी है। छाल अथवा पत्तियों का काढ़ा कुष्ट रोग निवारण, श्वास रोग तथा आमाशय में पथरी होने पर दिया जाता है। पुष्प कच्चा या पकाकर खाया जाता है। बीज से एक प्रकार का तेल निकलता है।

कंचन: कंचन को चित्तीदार बाउहीनीया या वेरियागेटेड बाउहीनीया तथा वनस्पतिशास्त्र में वेरीयगेटा कहते हैं। इसे बंगाली में रक्तो कंचन; तमिल में सेगापुमन्चोरी; कन्नड़ में कंचावली तथा मलयालम में चुवन्ना मन्डरम् कहते हैं।

यह एक बड़ा लगभग 15 मी. ऊंचा वृक्ष होता है, जिसका आच्छादन घना होता है। पत्तियां चर्मिल तथा इसका आधार हृदयाकार तथा शिराएं अत्यधिक ऊभरी होती हैं। पुष्पक्रम शीर्षस्थ कॉरिम्ब में होते हैं, पुष्प सफेद, मध्य में हल्के पीले या गुलाबी के साथ लाल अथवा बैंगनी दाग वाले होते हैं, जो पर्णविहीन वृक्ष पर शीत ऋतु के बाद आकर संपूर्ण बसंत (फरवरी-अप्रैल) तक खिलते रहते हैं। यह एक अति सुंदर अलंकृत पुष्प वृक्ष है, जो भारतीय देशज के वृक्षों में अपना एक उत्कृष्ट स्थान रखने के कारण उद्यानों तथा सड़कों के किनारे लगाने पर अद्‌भुत छटा बिखेरता है।

पौध का प्रसारण बीज द्वारा बड़ी ही सुगमता से तथा शाखाओं की कलम विधि से किया जाता है। औषधि के रूप में जड़ों को अजीर्ण अथवा अपच तथा सर्पदंश विष के प्रतिरोधी के रूप में दिया जाता है, छाल का प्रयोग बलवर्धक तथा चर्मरोग और नासूर (फोड़ा) के उपचार में किया जाता है। कलियों से अचार बनाकर खाया जाता है।

गुलाबी कचनार : गुलाबी कचनार या कंचन को पर्पल बाउहीनीआ अथवा माउन्टेन बे कहते हैं। इसका वनस्पतिक नाम बाउहीनीआ पर्पुरिआ है। पर्पुरिआ का अर्थ लैटिन में नील-लोहित अथवा गुलाबी रंग के पुष्प से है। इसका भारतीय भाषाओं में प्रादेशिक नाम कंचन, देव कंचन, रक्त कंचन (बंगाली); देव या रक्त कंचन या कुरुल (मराठी); कंचनम् (तेलुगु); मंडारी (तमिल); सारुल (कन्नड़) तथा चुवन्ना मन्डरम् (मलयालम) है।

यह एक 2-7 मी. ऊंचा, छोटा वृक्ष है। पत्तियां चौड़ी, चर्मिल तथा दो उभार होते हैं तथा दो पत्तियों के मध्य का कटान लगभग 1/3 भाग गहरा होता है। नीले सफेद या हल्के-बैंगनी, सुंदर बड़े तथा सुगंधित पुष्प नवंबर-दिसंबर में आते हैं तथा फलियां मार्च-अप्रैल में आती हैं। फलियां 8-25 से.मी. लंबी, चपटी तथा दोनों किनारों पर नुकीली होती हैं जिनके अंदर लाल-भूरे रंग के 12-16 अंडाकार बीज होते हैं।

यह प्रायः भारत के संपूर्ण भाग में पाया जाता है। विशेषकर हिमालय के निचले भागों में, गंगीय क्षेत्रों में आसाम तक लगभग 1600 मी. की ऊंचाई तक पाये जाते हैं। इसको बहुतायत से पार्कों, उद्यानों, सड़कों के किनारे, रेलवे प्लेटफार्म तथा मंदिर के निकट लगाते हैं। वृक्ष हिन्दुओं द्वारा पवित्र माना जाता है, क्योंकि पुष्प/वृक्ष का संबंध कृष्ण तथा दैवी शक्ति से है।

बीज की अप्रैल-मई में बुवाई कर देने से 4-10 दिनों में अंकुरण हो जाता है। 3-4 पत्तियों वाली पौध को वर्षा ऋतु में लगाना चाहिए, जिसमें दो-चार वर्ष के मध्य फूल आने प्रारंभ हो जाते हैं। इसे किसी भी प्रकार की मृदा, प्रायः किसी भी जलवायु में लगा सकते हैं। इसको कम रख-रखाव की आवश्यकता पड़ती है। बाहर निकली शाखाओं का कृंतन इसके अच्छे आकार हेतु कर देना चाहिए।

पुष्प की कलियां खाई जाती हैं, छाल से छाल सत्व तथा रंग प्राप्त होता है, लकड़ी कृषि के औजार बनाने में काम आती है। छाल अतिसार निवारण हेतु उपयोगी होती है।

पीला कचनारः पीले कचनार को हिंदी में कंचनी व कंचन भी कहते हैं। इसको संस्कृत में फाल्गुपिता; तमिल में कंचनाशइर्वाजी; मराठी में आप्टु; गुजराती में पीलो आसुन्ड्रो तथा मलयालम में कांजानम कहते हैं। इसका सामान्य अंग्रेजी नाम 'बेल बाउहीनीआ या मेलो बाउहीनीआ या सेंट थॉमस ट्री' है। इसका वनस्पतिक नाम *बाउहीनीआ टोमेन्टोसा* है। *टोमेन्टोसा* का लैटिन अर्थ पत्तियों व फलियों का रोमिल होना है। इसका स्वदेश एशिया व अफ्रीका का गर्म भाग है।

यह लगभग 2–5 मी. ऊंचा होता है, जिसकी शाखाएं झुकी हुई होती हैं, पत्तियां ऊपर की तरफ चिकनी तथा नीचे की तरफ रोमिल होती हैं, गंधकीय पीले अथवा नींबू पीले रंग के पुष्प नीचे भीतर की तरफ गहरे नील–लोहित अथवा लाल रंग के धब्बे लिए होते हैं जो शाखाओं के कक्ष से जोड़े में निकलते हैं। पुष्प प्रायः वर्षभर आते हैं लेकिन मार्च–जून तथा अगस्त–अक्टूबर में बहुलतापूर्वक आते हैं तथा फल मार्च–जून में आते हैं। बीज द्वारा पौधे का प्रसारण सुगमता से किया जा सकता है।

पौधे को बड़ी ही आसानी से लगाया जा सकता है तथा पुष्प पौध रोपण के दूसरे वर्ष ही आने लगते हैं। यह झाड़ी पट्टिकाओं के अंतर्गत अथवा एक नमूना स्वरूप लगाने हेतु विशेष उपयुक्त होता है।

लकड़ी मजबूत तथा भारी होने के कारण औजार के हत्थे बनाने के काम आती है। छाल से रेशा प्राप्त होता है, पौधे का उपयोग पेचिस अवरोधक, यकृत दोष तथा पौधे का समस्त भाग आयुर्वेद की औषधियों हेतु उपयोगी है।

ऑर्किड कचनारः ऑर्किड कचनार का सामान्य अंग्रेजी नाम हांगकांग ऑर्किड है। इसका वनस्पतिक नाम *बाउहीनीआ ब्लेकिआना* है, जिसका देशज हांगकांग (चीन) है। इसका सर्वप्रथम प्रवेशन 1968 में कृषि अनुसंधान संस्थान, नई दिल्ली में हुआ।

भारत के अन्य उद्यानों में इसे सुंदर, मनमोहक, अलंकृत पुष्प हेतु लगाया जाता है। 12 से.मी. व्यास के गहरे लाल या गुलाबी–बैंगनी लगभग लोहित रंग के पुष्प समूहों में अक्टूबर–मार्च में निकलकर उद्यानों में मनोरम छटा बिखेरते हैं।

पीला कनेर

पीले कनेर का सामान्य अंग्रेजी नाम येलो ऑलीआन्डर, ट्रम्पेट फ्लॉवर, बास्टर्ड आलीआन्डर, लकीनट ट्री तथा एक्सायल ऑयल ट्री है। इसका भारतीय भाषाओं में नाम आशुघ्ना, दिव्यपुष्प तथा हरिप्रिया (संस्कृत); पीला कनेर, कनेर, कनइल, जोर्ड कनेर (हिन्दी); कोलकाफूल, हल्दी करबी (बंगाली); कोन्यारफूल (उड़िया); पीला कनेर (गुजराती); पिल्वाक्कान्हेरु (मराठी); पच्चागान्नेरा (तेलुगु); पचाईयालोरी (तमिल); काडुकासी (कन्नड़) तथा मोन्जा अरेली मलयालम में है।

इसका वैज्ञानिक नाम *थेवेटिआ पेरूवियाना* या *थेवेटिआ नेरीफोलिआ* है तथा यह एपोसायनेसी कुल का पौधा है। इसका वर्तमान प्रमाणित नाम *कास्काबेला थेवेटिआ* है।

थेवेटिआ नाम एक फ्रांसीसी साधु, आन्द्रे थेवेट (1502–1592) की प्रतिष्ठा में दिया गया है। जिन्होंने ब्राजील में यात्रा की थी, पेरुविआना नाम इसके देशज पेरू (दक्षिण अमेरिका) तथा *नेरीफोलिआ* नाम इसकी रेखाकार पत्तियों के आकार पर दिया गया है।

लगभग 2–5 मी. ऊंची झाड़ी या छोटा सदाबहार वृक्ष है। तना काष्ठीय, छाल चमकदार भूरे रंग की होती है। कई बेलनाकार शाखाएं निकलती हैं तथा संपूर्ण पौधे से दूधिया सफेद, तरल द्रव निकलता है। पत्तियां चिकनी, चमकीली, हरी, रेखाकार शाखाओं के शीर्ष पर समूह में रहती हैं। पुष्प सुगंधित, पीले, सफेद, गुलाबी, घंटाकार तथा दलपुंज नलिका बेलनाकार होती है, गले पर 5 रोमिल चोइयांनुमा उभार होते हैं; फल 4 कोष्ठीय अष्ठिफल, जिसमें 2–4 कड़े बीज होते हैं।

पुष्प व फल पूरे वर्ष भर आते रहते हैं, प्रसारण बीज द्वारा सुगमतापूर्वक किया जाता है। यह एक सहिष्णु, शीघ्र बढ़ने वाला पौधा है जो किसी भी प्रकार की मृदा तथा जलवायु में बड़ी ही आसानी से लगाया जा सकता है लेकिन खुले स्थान व संपूर्ण सूर्य का प्रकाश आवश्यक है। अर्ध–छायादार स्थानों में भी बड़ी ही कम देखरेख में यह सुगमतापूर्वक लगाया जा सकता है।

इसे साधारणतया गांवों में मंदिरों के निकट, इसके पुष्प हेतु लगाते हैं। जो भगवान शिव की मूर्ति पर चढ़ाया जाता है। इसे सुंदर पुष्प तथा चमकदार पत्तियों हेतु उद्यान व उपवन में प्रचुरता से लगाते हैं। पौधे के सभी भाग जहरीले होते हैं। बीज रेचक तथा वात इत्यादि बीमारियों में दिया जाता है।

जलीय पौधे

कमल

कमल हमारे देश का राष्ट्रीय पुष्प है। इसका सामान्य अंग्रेजी नाम इंडियन लोटस, सेक्रेड लोटस, चाइनीज़ वाटर लिलि, वाटर बीन या ईस्ट इंडियन लोटस है। इसका भारतीय भाषाओं में नाम अम्बुआ, पद्मा, पंकजा तथा कमला (संस्कृत); कमल, कंवल (हिन्दी); पद्मा (बंगाली); पदम् (उड़िया तथा असमी); कंवल, पाम्पोश (पंजाबी); सुरीया कमल (गुजराती); कमल (मराठी); कालुंग (तेलुगु); आम्बोल, थामाराई (तमिल); कमला (कन्नड़); थामरा व सेन्थामारा (मलयालम) है। इसका वैज्ञानिक नाम *नीलुम्बो नुसिफेरा* है जो जल-लिलि कुल नीलुम्बोनासी (या नीम्फीआसी) का पौधा है। *नीलुम्बो* शब्द की उत्पत्ति नीलम्ब, श्रीलंका देश के नाम से तथा *नुसिफेरा* का लैटिन अर्थ कड़े फल से है।

कमल भारतीय पौधा है, जो चीन तथा जापान में बहुलता से पाया जाता है। यह भारत के प्रायः सभी भागों, 1800 मी. की ऊंचाई तक ताजे जलाशय, नम तथा कीचड़युक्त स्थानों में प्रायः समस्त राज्यों में पाया जाता है। इसकी खेती इसके बड़े लाल या सफेद, सिंगल अथवा डबल ट्यूलिपनुमा, अति सुंदर तथा सुगंधित पुष्पों हेतु जलाशयों, तालाबों व झीलों में की जाती है। इसके सभी भाग मनुष्य के लिए उपयोगी हैं।

हिन्दू पौराणिक मान्यताओं के अनुसार विश्व रचयिता ब्रह्माजी का जन्म विष्णुजी की नाभि-नाल से निकले कमल के पुष्प पर हुआ। लक्ष्मीजी इसके पुष्प को सर्वदा अपने हाथ में धारण किये रहती हैं। यह देवी काली तथा अन्य देवताओं व देवियों द्वारा पसंद किया जाता है, इसलिए इसको पवित्र एवं धार्मिक महत्ता प्राप्त है। पुष्प धार्मिक पूजा-अर्चना तथा सामाजिक अनुष्ठानों में उपयोगी है, यद्यपि कुछ संप्रदायों में पुष्प को व्यवहारिक रूप से आदर स्वरूप भेंट भी किया जाता है।

यह एक बहुवर्षीय, प्रकंदीय शाक है जिसकी पत्तियां बड़ी, चौड़ी तथा सर्वदा जल के ऊपर तैरती रहती हैं। नई पत्तियां चक्राकार या अर्ध-चक्राकार, 20-50 से.मी. व्यास की चकनी, चमकदार, चौरस, ऊपरी भाग हरा, नीचे की तरफ हल्का हरा; डंठल कड़ा, 2 मी. तक लंबा, छोटे-छोटे फुंसीनुमा उभार होते हैं।

पुष्प एकल, गुलाबी–लाल या बिल्कुल सफेद, सुगंधित, 7–25 से.मी. व्यास का, पुष्प दंड 2 मी. तक लंबे; बाह्यदल हरा अथवा गुलाबी तथा पुंकेसर पीला होता है। कमल-गट्टा बड़ा, लहू की तरह, 5–10 से.मी. व्यास का, स्पंजनुमा होता है। अंडप 10–30, एक कोष्ठीय, ऊपर की तरफ अलग–अलग खोहों में दबे होते हैं। नटनुमा एकीन कठोर, अंडाकार तथा बीज एक छोर पर नुकीले होते हैं।

यों तो पुष्प पूरे वर्ष ही खिलते रहते हैं लेकिन मार्च–दिसंबर में बहुलता से खिलते हैं। फल सितंबर–मार्च तक आते हैं।

कमल का प्रसारण मुख्यतया पुराने प्रकंद के टुकड़ों, जिनमें 2–3 आंखें हों द्वारा किया जाता है। प्रकंद को ताजे जल के जलाशयों में मार्च–अप्रैल में लगाया जाता है। 6–7 माह तक अधिक पानी होना आवश्यक है।

इसकी खेती गमले में प्रकंद के अधिकाधिक विकास व फैलाव के कारण अनुपयुक्त होती है। पक्की दिवार वाले लिलिपूल भी इसकी खेती के अयोग्य होते हैं। इसलिए इसकी खेती कच्चे तालाब व कुंड में सफलतापूर्वक की जाती है।

कीचड़युक्त मटियार मृदा की गोल गेंद के बीच में बीज डालकर तालाब में फेंक दिया जाता है, जिसमें अत्यधिक कीचड़ जीवांश पदार्थ व पर्याप्त पानी होता है। बीजों की अंकुरण–क्षमता अधिक समय तक रहती है। मंचूरिया में मिट्टी में लगभग 120 वर्ष तक दबे बीजों में अंकुरण क्षमता पाई गई है। लगभग 10–12 कि.ग्रा. बीज प्रति हेक्टेयर तालाब के लिए उपयुक्त होते हैं।

कमल का समस्त भाग आर्थिक एवं औषधीय गुणों से परिपूर्ण होता है। प्रकंद, नई पत्तियां, डंठल तथा पुष्प को सब्जी की तरह खाते हैं। फल– 'कमल गट्टा' पौष्टिक होता है, लेकिन बाह्य छिलका विषैला होता है जिसको निकालकर खाते हैं। डंठल से रेशा प्राप्त होता है तथा पत्तियां खाना खाने की थाली के रूप में प्रयोग की जाती हैं।

ताज़े प्रकंद से निकला हुआ आरारोट, मीठा व पौष्टिक होने के कारण बच्चों को बलवर्द्धक के रूप में, संग्रहणी अथवा अतिसार, पेचिस व अजीर्ण के उपचार हेतु दिया जाता है तथा फल को कै रोकने के लिए दिया जाता है।

साधारणतया नये पौधों की पत्तियां पानी के ऊपर तैरती रहती हैं तथा पुराने पौधों की पत्तियां अपने लंबे डंठल के साथ पानी के ऊपर निकली रहती हैं। पुष्प कलियां जो 2–3 दिनों के बाद खिलने योग्य हों उनको व्यावसायिक आवश्यकताओं के लिए काट लेते हैं। साधारणतया कमल की खेती के लिए किसी खाद विशेष की आवश्यकता नहीं होती, पौधे द्वारा स्वयं जमा किये गये जीवांश पदार्थ ही इसके समुचित विकास तथा पुष्प के लिए पर्याप्त होते हैं।

कनवल

कनवल ताजे जल वाले तालाबों, झीलों एवं कीचड़ युक्त स्थानों में स्थिर तैरने वाला पौधा है। कनवल या जललिलि का वनस्पतिक नाम *निम्फिआ* है, जिसका लैटिन भाषा में अर्थ वाटर निम्फ या जललिलि है। निम्फिआ का ग्रीक अर्थ 'फुहारों की देवी' है। यह जललिलि कुल-निम्फिएसी में आता है।

यह एक बहुवर्षीय शाक है जो क्षैतिज अथवा उच्छीर्ण अथवा विसर्पी प्रकंद होता है। पत्तियां चक्राकार, पुष्प सुंदर व अलंकृत, लंबे डंठल पर, पानी से निकलकर तैरते रहते हैं। पौधे अधिक शाखान्वित, पुष्प दंड या पुष्पाक्ष लंबा; बाह्यदल 4, दलपुंज कई, सफेद, गुलाबी, गहरे लाल, अथवा विभिन्न आकर्षक रंगों के होते हैं तथा पुंकेसर कई, चतुर्दिक फैलाव में होते हैं। फल स्पंज की तरह, सरस-फल, मांसल तथा एरिल से ढका होता है। इसकी भारत में कुल 6 जातियां पाई जाती हैं जिनमें से 3 अधोलिखित जातियां प्रमुख हैं। यह जंगली अवस्था में तालाबों तथा झीलों में अपने विभिन्न आकार व रंगों में पाये जाते हैं।

लाल कनवलः इसका सामान्य अंग्रेजी नाम इंडियन रेड वाटरलिलि तथा स्थानीय नाम कनवल, लाल कनवल (हिन्दी); लाल शाप्ला (बंगाली); रंगकाई (उड़िया) है। इसका वनस्पतिक नाम *निम्फिआ रुब्रा* है। इसका स्वदेश भारत (बंगाल) है तथा भारत के समस्त भागों में, विशेषकर मैदानी क्षेत्रों, तालाबों व झीलों में बहुलता से पाया जाता है।

इसे बड़ी ही आसानी से इसकी चौड़ी, अंडाकार, दीर्घाकार अथवा वृत्ताकार पत्तियों के कारण पहचाना जा सकता है। इसकी नई पत्तियां दोनों तरफ गहरी लाल, परिवर्तित होकर ऊपर की तरफ हरी हो जाती हैं, जिनका व्यास 30-50 से.मी. होता है। पुष्प 5-15 से. मी. फैलाव में, गहरे लाल; पुतन्तु-लाल तथा पुंकेसर का निचला दो-तिहाई भाग गहरा-बैंगनी या नील-लोहित होता है तथा फल नहीं बनता है।

पुष्प प्रायः वर्ष भर आते हैं लेकिन अगस्त-जनवरी में अधिक खिलते हैं। फूल रात्रि में खिलकर, दोपहर तक पूर्ण रुपेण खिला रहकर तेज सूर्य के प्रकाश में बंद हो जाता है। प्रसारण प्रकंद तथा कायिक आंखों द्वारा किया जाता है।

प्रभेद रुब्रा रोजीआ— पत्तियां भूरी चित्तीदार तथा किनारा दंतिल होता है; पुष्प बड़े, गुलाबी, गहरे लाल; पुंकेसर पीला होता है तथा शीर्ष भाग गहरा लाल होता है। बैंगनी रंग के निशान रहित पुतन्तु के पौधे भी पाये जाते हैं।

कुमुद या कनवलः इसका स्वदेश भारत है जो मैदानी भागों में प्रचुरता से पाया जाता है। इसका भारतीय भाषाओं में स्थानीय नाम कुमुद (संस्कृत); कोका, कंवल (हिन्दी); शालुक, शापला (बंगाली); धोबाला-काइन (उड़िया); मोकुवा (असमी); अम्बल (मलयालम); अल्लितामाराई तथा वेलाम्बल (तमिल) है तथा इसका वनस्पतिक नाम *निम्फिआ पुबेसेन्स* है।

पत्तियां चौड़ी, अंडाकार, दीर्घाकार से चक्राकार, गहरे हरे रंग की, ऊपर चिकनी तथा नीचे हल्की बैंगनी-हरी, छोटे-छोटे रोम-युक्त होती हैं। पुष्प सफेद तथा हल्के सुगंधित होते हैं; बाह्यदल बाहर से हरा जिन पर 5-9 उभरी हुई शिराएं होती हैं, भीतर सफेद होता है; पुंकेसर पीला तथा फल सरस, गोल होता है।

प्रायः पुष्प पूरे वर्ष खिलते हैं लेकिन अगस्त-जनवरी में अधिक मात्रा में खिलते हैं। प्रसारण प्रकंद के टुकड़ों तथा बीज द्वारा किया जाता है।

भेंगटः इसका भारतीय भाषाओं में प्रादेशिक नाम सुन्डी, नीला शाप्ला (बंगाली); सीताम्बल (मलयालम); सुब्दी-काईन (उड़िया) तथा नीलोत्पलम (तमिल) है। इसका वैज्ञानिक नाम *निम्फिआ नौचाली* या *निम्फिआ स्टीलेटा* है।

यह मूलरूप से भारतीय पौधा है जो मैदानी भागों में प्रचुरता से पाया जाता है। पुष्प नील-बैंगनी या हल्का नीला तथा सुगंधित होता है; बाह्यदल त्रिकोणीय-अंडाकार, प्रायः हरा तथा गहरा, नील-लोहित धारियां बाहर की ओर लिए हुए। दलपुंज 8 से 15; पुंकेसर बाहरी बांझ अथवा निष्फल, पीले, नीले रंग के छोटे विकार अथवा उभार लिये होते हैं; फल सरस, गोलाकार होता है।

पुष्प अगस्त तथा जनवरी में खिलते हैं। प्रसारण 2-3 आंखों-युक्त प्रकंद के छोटे-छोटे टुकड़ों द्वारा तथा बीज द्वारा भी किया जाता है। पौधे का समस्त भाग पकाकर या कच्ची सब्जी के रूप में खाया जाता है। प्रकंद पेचिस, अजीर्ण तथा अपच में भी उपयोगी है। कुछ विदेशी अलंकृत पुष्पों वाली संकर जातियां भी उद्यान के तालाबों व झीलों में पाई जाती हैं।

संदर्भ सूची

अनाम	*क्राइसान्थेमम,* बुलेटिन स. I, नेशनल बोटेनिकल गार्डन, लखनऊ, 1956
अनाम	*वेल्थ ऑफ इंडिया, ए डिक्सनरी ऑफ इंडियन रॉ मैटेरिअल एंड इंडस्ट्रियल प्रोडक्ट्स,* खंड I-XI, सी.एस.आई.आर., नई दिल्ली, 1948-1976
अनाम	*सट्टन सीड्स बुलेटिन - न्यू फ्लावर्स एंड वेजीटेबल्स,* जारॉल्ड एंड संस लि., नार्विश, लंदन, 1976
अम्बास्टा	एस.पी. व अन्य संपादन, द *यूज़फुल प्लांट्स ऑफ इंडिया,* सी.एस.आई.आर., नई दिल्ली, 1986
क्वात्रोचि, युम्बार्टो	*सी.आर.सी. वर्ल्ड डिक्सनरी ऑफ प्लांट नेम्स,* खंड I-IV, सी.आर.सी. प्रेस, बोका राटॉन, लंदन, 2000
ग्राफ़, ए.बी.	*एक्साटिका-3, पिक्टोरियल साइक्लोपीडिआ ऑफ इंडोर प्लांट्स,* रोयेहर्स कंपनी, न्यूजर्सी, 1970
ग्राफ़, ए.बी.	*ट्रापिका,* रोयेहर्स कंपनी, न्यूजर्सी, 1981
गोपालस्वामी अयंगर, के.एस.	*कम्पलीट गार्डनिंग फॉर इंडिया,* द होसाली प्रेस, बेंगलुरु, 1951
चक्रवर्ती,आर.के. एवं एस.के. जैन	*ब्यूटिफुल ट्रीज़ एंड शर्ब्स ऑफ कोलकाता,* बी.एस.आई., हावड़ा, 1984
चक्रवर्ती, आर.के., डी.एस. पाण्डेय एवं डी.पी. मुखोपाध्याय	*डाइरेक्टरी ऑफ प्लांट्स इन दी बोटेनिकल गार्डन्स ऑफ इंडिया,* बी.एस.आई., कोलकाता, 2003
चौधरी, एच.जे. एवं डी.एस. पाण्डेय	*प्लांट्स ऑफ इंडियन बोटेनिकल गार्डन,* बी.एस.आई., कोलकाता, 2007
जैन, सु.कु. एवं वि. मुद्गल (संकलन व संपादन)	*भारत की वनस्पति,* भा.व.स., हावड़ा, 1984

देबनाथ, एच.एस. एवं एम.पी. नायर — *पापावरेसी इन फ्लोरा ऑफ इंडिया,* खंड II, पृ. 1–33, बी.एस.आई., कोलकाता, 1993

देसाई, बी.एल. — *सीज़नल फ्लावर्स,* आई.सी.ए.आर., नई दिल्ली, 1962

देसाई, बी.एल. — *प्लानिंग एंड प्लांटिग डिज़ाइन ऑफ होम गार्डन्स,* आई.सी.ए.आर., नई दिल्ली, 1979

पर्सी थ्रोवर — *गार्डन बुक,* द हामीलॉन पब्लिशिंग ग्रुप लि., लंदन, 1979

पर्सी लंकास्टर, एस. — *गार्डनिंग इन इंडिया (एन अमेच्योर इन इंडियन गार्डन्स),* ऑक्सफोर्ड एवं आई.बी.एच. पब्लिशिंग कंपनी प्रा.लि., नई दिल्ली (संशोधित संस्करण), 1977

पाण्डेय, डी.एस. — भारत में कुछ उपयोगी विदेशी पौधे (*भारत की वनस्पति,* संकलन व संपादन सु.कु. जैन एवं वि. मुद्गल), पृ. 200–217, भा.व.स., हावड़ा, 1984

पाण्डेय, डी.एस. — *एक्साटिक्स–इंट्रोड्यूज्ड एंड नेचुरल इमिग्रेंट्स, वीड्स, कल्टीवेटेड, ईटीसी. इन फ्लोरा ऑफ इंडिया;* इंट्रोडक्टरी वाल्यूम, भाग–II, पृ. 266–301, बी.एस.आई., कोलकाता, 2000

पाण्डेय, दया शंकर एवं रथीन कुमार चक्रवर्ती — वनस्पति उद्यान (*भारत की वनस्पति विविधता*–संपादक वि. मुद्गल व प्रभात कुमार हाज़रा), पृ. 473–484, भा.व.स., कोलकाता, 2003

पाण्डेय, डी.एस. एवं एन.पी. सिंह — *कॉमन फ्लावर्स ऑफ इंडिया* , पब्लिकेशन डिविजन, सूचना भवन, नई दिल्ली, 2005

पाल, बी.पी. — *ब्यूटीफुल क्लाइंबर्स ऑफ इंडिया,*आई.सी.ए.आर., नई दिल्ली, 1960

पाल, बी.पी. — *द रोज़ इन इंडिया,* आई.सी.ए.आर., नई दिल्ली,1966

प्रधान, सी. उदय एवं सी. सत्यम् प्रधान — *100 ब्यूटीफुल हिमालयन ऑर्किड्स एंड हाउ टू ग्रो देम,* दार्जिलिंग गोरखा हिल काउंसिल, पश्चिम बंगाल, 1997

फिरमिंगर, टी.ए. — *मैनुअल ऑफ गार्डनिंग फॉर इंडिया,* थैकर स्पिंक एंड कं., कोलकाता, 1957

बेली, एल.एच. — *द स्टैंडर्ड साइक्लोपीडिआ ऑफ हार्टीकल्चर* (वृहद संस्करण), खंड I-III, द मैकमिलन कं., न्यूयार्क, खंड I व II, 1923 एवं खंड III, 1929

बेली, एल.एच. — *मेनुअल ऑफ कल्टीवेटेड प्लांट्स* (संशोधित संस्करण), द मैकमिलन कंपनी, न्यूयार्क, 1949

बेन्थाल, ए.पी. — *ट्रीज़ ऑफ कलकत्ता एंड इट्स नेहबरहुड,* थैकर स्पिंक एंड कंपनी लिमिटेड, कोलकाता, 1946

ब्लैटर, ई. एवं डब्लू.एस.मिलार्ड — *सम ब्यूटीफुल इंडियन ट्रीज़* (द्वितीय एवं संशोधित संस्करण), बंबई नेचुरल हिस्ट्री सोसायटी, मुंबई, 1954

बोर, एन.एल एवं एम.बी. रायज़ादा — *सम ब्यूटीफुल इंडियन क्लाइंबर्स एंड शर्ब्स,* बंबई नेचुरल हिस्ट्री सोसायटी, मुंबई, 1954

बोस, टी.के. एवं बी.चौधुरी (संपादन) — *ट्रॉपिकल गार्डन प्लांट्स इन कलर,* हार्टीकल्चरल एंड एलाइड पब्लिशर, कोलकाता, 1991

ब्रुगेमान, एल. — *ट्रॉपिकल प्लांट्स एंड देयर कल्टिवेशन,* थामस एंड हडसन, लंदन, 1957

मित्रा, आर.एल. — निलम्बोनेसी इन *फ्लोरा ऑफ इंडिया,* खंड I, पृ. 441-442, बी.एस.आई. कोलकाता, 1993

मित्रा, आर.एल. — नीम्फिएसी इन *फ्लोरा ऑफ इंडिया,* खंड I, पृ. 426-435, बी.एस.आई., कोलकाता, 1993

मुद्गल, विश्वनाथ व प्रभात कुमार हाजरा (संपादन) — *भारत की वनस्पतिक विविधता,* भा.व.स., कोलकाता, 2003

लवानिया, मुरारी लाल — *भारत में फल तथा फूल की खेती,* सिंघल बुक डिपो, बड़ौत, मेरठ, 1964

शर्मा, बी.डी. एवं डी.एस. पाण्डेय — *एक्साटिक फ्लोरा ऑफ इलाहबाद,* बी.एस.आई., हावड़ा, 1984

सिंह, एन.पी. एवं के.पी. सिंह (संपादन) — प्रोटेक्टिव एरिया नेटवर्क (*फ्लोरिस्टिक डाइवरसीटीज एंड कंजर्वेशन स्ट्रेटेजीज इन इंडिया), खंड* V, पृ. 2341-2412, भा.व.स., कोलकाता, 2002

सिंह, एन.पी. एवं डी.एस. पाण्डेय — टेट्रामेरस फ्लावर्स इन आर्टाबोट्रिस हेक्सापेटालुस, *महाराष्ट्र विज्ञान मंदिर पत्रिका,* खंड II, भाग I, पृ. 50-51, 1969

हार्लर, ए. डब्लू. द *गार्डन इन द प्लेन्स* (तृतीय संस्करण), ऑक्सफोर्ड युनिवर्सिटी प्रेस, लंदन, 1948

हेलीयर, ए.जी.एल. द *अमेच्योर गार्डनर,* डब्लू.एच. एंड एल. कोलिंगरिज लि., लंदन, 1946

हुकर, जे.डी. (संपादन) द *फ्लोरा ऑफ ब्रिटिश* इंडिया, खंड I–VII, एल.रेव एंड क., लंदन, 1872–1897 (पुनर्मुद्रित संस्करण 1978)